Herausgeber: Polyglott-Redaktion

Autorin: Monika Pelz
Lektorat: Jutta Ressel
Bildredaktion: Nicole Häusler
Art Direction: Illustration & Graphik Forster GmbH, Hamburg
Karten und Pläne: Cordula Mann und Huber. Kartographie (Umschlagkarte) nach Entwürfen der Polyglott-Kartographie
Titeldesign-Konzept: V. Barl
Realisation: Studio Wolf Brannasky

Wir danken dem Staatlichen Fremdenverkehrsamt ENIT, München, für die uns bereitwillig gewährte Unterstützung.

Ergänzende Anregungen, für die wir jederzeit dankbar sind, bitten wir zu richten an:
Polyglott-Verlag, Redaktion, Postfach 40 11 20, D-80711 München,
E-Mail: redaktion@polyglott.de oder PolyRed@AOL.com.

Surfen online mit Polyglott: http://www.polyglott.de
und bei AOL unter dem Kennwort „Polyglott".

Zeichenerklärung

- Information
- Öffnungszeiten
- Telefonnummer
- Faxnummer
- Flugverbindungen
- Eisenbahnverbindungen
- Busverbindungen
- Schiffsverbindungen
- Hotels
- Campingplatz
- $$$ über 150 000 Lire (Doppelzimmer mit Bad)
- $$ bis 150 000 Lire
- $ bis 80 000 Lire
- Restaurants
- $$$ Menü über 60 000 Lire
- $$ bis 60 000 Lire
- $ bis 35 000 Lire

Routenpläne

- Route mit Routenziffer
- Autobahn, Schnellstraße
- sonstige Straßen, Wege
- Staatsgrenze, Landesgrenze
- National-, Naturparksgrenze

Stadtpläne

- Durchgangsstraße
- sonstige Straßen
- Fußgängerzone
- Fußweg

Komplett aktualisierte Auflage 1997/98

Redaktionsschluß: April 1997

Printed in Germany/III.
Gedruckt auf chlorfrei gebleichtem Papier
ISBN 3-493-62861-7

Polyglott-Reiseführer

Toskana

Monika Pelz

Polyglott-Verlag München

Allgemeines

Städtebeschreibungen

Routen

Route 1

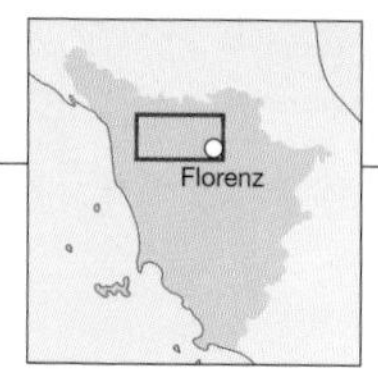

Abseits der „klassischen" Toskana S. 58

Wo man sonst vielleicht nicht hinfindet – nach Prato und Pistoia, in kleine Burgorte am Rande des Apennin, in herrliche Medici-Villen und den Pinocchiopark.

Route 2

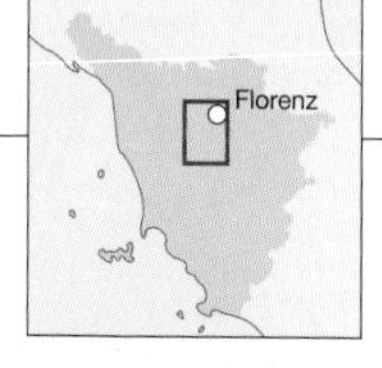

Bekanntes und weniger Bekanntes S. 66

Ein Muß beim ersten Toskana-Besuch: das vieltürmige San Gimignano und Volterra. Dazwischen liegt die herrliche „klassische" Landschaft der Toskana.

Route 3

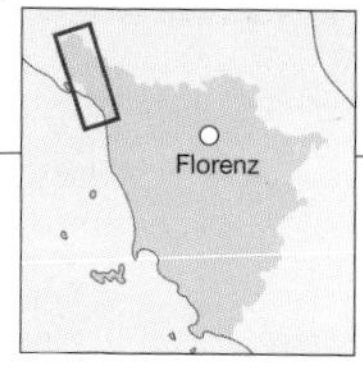

Badestrände und Berggipfel S. 72

In der vom Massentourismus unberührten Lunigiana genießt man das Strandleben vor grünen Pinienhainen und betrachtet die schneebedeckten Berggipfel der Apuanischen Alpen.

Route 4

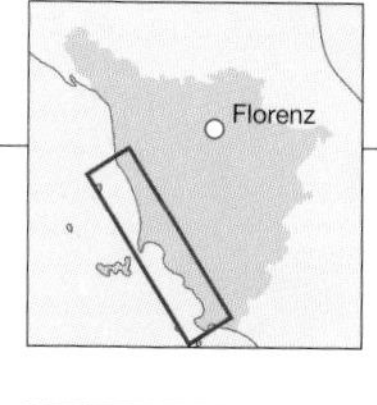

Badereise mit Kultur S. 76

Nach einem Tag an der Etruskischen Riviera die Atmosphäre eines mittelalterlich geprägten Bergstädtchens zu genießen – Urlaub eher geruhsam.

Route 5

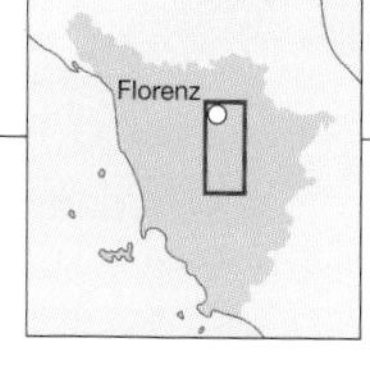

Chianti-Land S. 81

Die Chiantigiana führt von einem Kastell oder Weingut zum nächsten, Abstecher in die Hügel ermöglichen Panoramablicke über Olivenhaine und Weinberge.

Route 6

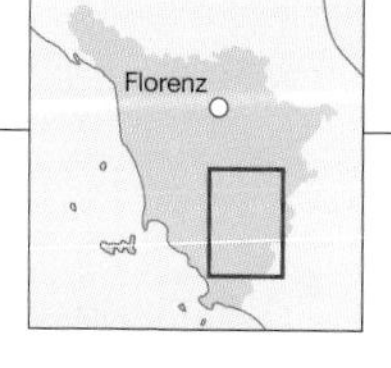

Wüstenhafte Crete, bewaldeter Amiata S. 84

Alte Abteien und Etruskerstädtchen, neuer Wein und weite Landschaft bieten einen abwechslungsreichen Kultur-Urlaub an der alten Via Cassia entlang.

Fremde Kulturen kennenlernen und gastfreundlichen Menschen begegnen – wie sehr genießen wir das auf Reisen. Zu Hause bei uns jedoch wird mancher Ausländer von einer kleinen Minderheit beschimpft, bedroht und sogar mißhandelt. Alle, die in fremden Ländern Gastrecht genossen haben, tragen hier besondere Verantwortung. Deshalb: Lassen Sie es nicht zu, daß Ausländer diffamiert und angegriffen werden. Lassen Sie uns gemeinsam für die Würde des Menschen einstehen.

Verlagsleitung und Mitarbeiter des Polyglott-Verlages

Editorial

Toskana – wer denkt da nicht an Chianti-Wein und Michelangelo, Renaissance-Architektur und Zypressen? In der Vielfalt der Eindrücke – vom höchsten Kunstgenuß bis zum Badespaß am Meer – liegt der besondere Reiz dieser Region.

2500 Jahre geballte Kulturgeschichte erwarten den Urlauber – und eine lange Tradition des Feierns, des Genießens. Der Abendspaziergang auf der Piazza gehört seit dem Mittelalter ebenso dazu wie die einfachen Zutaten der so schmackhaften Küche.

Und wer würde nicht gern wie der moderne, gutsituierte Florentiner der brodelnden Hektik der Stadt auf ein ruhig gelegenes Landgut entfliehen – die Medici machten es nicht anders! Diese enge Verbindung von Stadt und Land prägt die Toskana bis heute. Die einzigartigen Kulturdenkmäler leben von der sie umgebenden Kulturlandschaft, der seit Jahrhunderten von Menschenhand gestalteten Natur. Der Reisende sollte sich auf diese Einheit von Natur und Kultur einlassen. Eine Fahrt nach Florenz, ohne das hügelige Chianti-Land zu besuchen, ein Aufenthalt in Siena, ohne die herben Crete zu sehen, ein Besuch in Pisa, ohne die salzige Meeresluft zu atmen – es würde etwas fehlen. Nur beim Urlaub am Strand lernt man die Toskana sicher nicht kennen. Auch die Prunkbauten der Städte und den Stolz ihrer Bewohner gilt es zu bewundern. Wer auf kurvenreichen Landstraßen durch Olivenhaine und Weinberge fährt, wird den Charakter der Gegend in manch kleinem Städtchen am ehesten erfahren – die Toskana wartet hier mit Renaissance, Ruhe, Rotwein …

Die Autorin

Monika Pelz
geboren 1962 in Traunstein, studierte in München, Florenz und Pisa Geschichte, Politologie und italienische Linguistik. Durch langjährige Aufenthalte in der Toskana hat sie Land und Leute kennen- und schätzengelernt. Sie schrieb auch die Polyglott-Reiseführer „Elba" und „Florenz".

Zauber der Zypressen, Kunstgenuß und Meer

In einem alten italienischen Ausspruch wird die Toskana als „gentile" (liebenswürdig) und „nobile" (edel) bezeichnet. Liebenswürdig ist das ganze Land mit seinen malerischen Höhenzügen, seinen schönen Küsten und reizenden Bewohnern. Und edel sind die großartigen Schöpfungen in den Kunststädten.

Lage und Landschaft

Der Reiz der toskanischen Landschaft liegt zweifelsohne in ihrer Vielseitigkeit. Schroffe Alpengipfel von 2000 m Höhe im Norden wachen unmittelbar hinter sandigen Badestränden am Tyrrhenischen Meer. Der kastanienbewachsene Apennin bildet das Kontrastprogramm zur sanften Hügellandschaft zwischen Florenz und Siena. Felsige Buchten an der Etruskischen Riviera gehen fast unmerklich in die ehemals sumpfige, heute fruchtbare Ebene der Maremma über. So finden sich also völlig verschiedene Landschaftstypen auf engstem Raum. Gegensätzlicher könnte kaum eine Gegend aussehen, und gerade darin liegt ihr besonderer Zauber.

Die Vegetationsformen entsprechen den unterschiedlichen Bodentypen und Höhenlagen: Von der Palme bis zum Hochgebirgswald, von macchiabewachsenen Hügeln bis zu den fast wüstenhaft wirkenden Crete im Süden Sienas, Schirmpinien an den Stränden und Krüppelkiefern an steilen Berghängen – alles liegt dicht beieinander. Doch oft ist es nur eine einzige Landschaft, die dem Besucher vor Augen schwebt. Und es gibt sie wirklich, diese „Klischee-Toskana". Reihen von dunkelgrünen Zypressen entlang der Hügelrücken, goldgelbe Getreidefelder, fast weiß im Sonnenlicht schimmernde Olivenbäume und im Herbst buntgefärbte Weinberge – knapp die Hälfte der Region entspricht tatsächlich dieser Vorstellung.

Diese über Jahrhunderte von Menschenhand gezähmte und geformte Natur, die sich heute wie ein einziger großer Park über die Hügel zieht, gehört mit Sicherheit zu den schönsten Kulturlandschaften Europas. Selbst Bauernhöfe und Villen, ja sogar die kleineren Städte scheinen fest mit dieser Natur zu einer Einheit verwachsen. Im zauberhaften Licht des Südens leuchten die vielen Grün-, Braun- und Ockerschattierungen in ungeahnter Intensität in Stadt und Land.

Reisezeit

Im Winter in die Toskana? Vielleicht ein etwas ungewöhnlicher Vorschlag, aber an einem sonnigen Februartag hat man bei oft mehr als 15 Grad viele Museen und Kirchen nahezu für sich allein, und die Menschen in den Hotels und Restaurants sind weniger gestreßt und daher freundlicher. Am Meer spazierenzugehen macht auch zu dieser Zeit Spaß – selbst wenn man seinen Schirm für alle Fälle dabeihaben sollte. Und im Café bei einem Cappuccino sitzen kann man allemal. Genießen kann man die Toskana im Winter also durchaus.

Im Hochsommer gestaltet sich das schwieriger. Ob Florenz bei 40 Grad noch ein Vergnügen ist, muß jeder selbst entscheiden. Kaum ein bedeutendes Kunstwerk kann man in Ruhe betrachten, denn Reisegruppen aus aller Welt kommen gerade im Juli und August. Die Toskana, vor allem Städte wie Florenz, Siena oder San Gimignano, sind im Sommer überlaufen – um es deutlich zu sagen. Die Küste wird allerdings weniger von ausländischen

Touristen überschwemmt als z. B. die Adria. Hier dominieren die Einheimischen: Sie flüchten aus dem heißen Florenz oder Siena – wohlweislich – ans Meer oder suchen Zuflucht in den Bergen – ein neuer Modetrend in Italien!

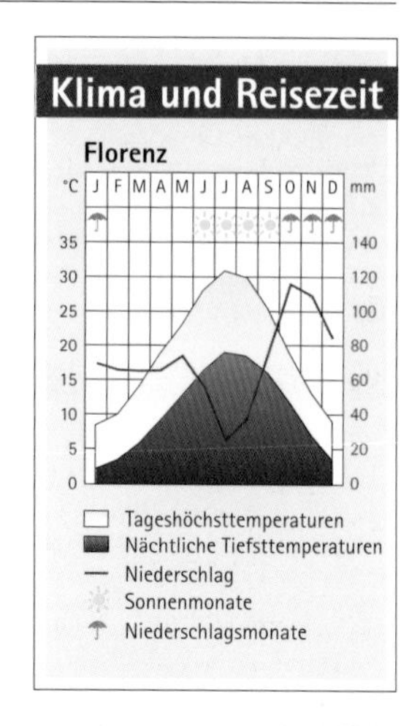

Einen angenehmen Mittelweg geht, wer im Frühjahr oder Herbst diese Gegend besucht. Der Faszination der blühenden Toskana kann man sich nur schwer entziehen. Knallgelbe Rapsfelder wechseln im Mai mit goldgelben Getreidefeldern, überall sieht man feuerrote Mohnblumen. Im Herbst dagegen verändert sich die Szenerie vollständig. Aber auch die in allen Grau- und Brauntönen leuchtenden abgeernteten Schollen verleihen zusammen mit den bunt gefärbten Weinreben und Laubbäumen der Region einen sehr eigenen, fast herben Reiz. Und es bietet sich im Mai oder September auch fast immer die Möglichkeit, Badeferien mit Kunsturlaub zu verbinden – falls Sie nicht doch lieber im Winter kommen wollen …

Natur und Umwelt

Seit einigen Jahren ist man bemüht, die so unterschiedlichen Landschaften der Toskana besser zu schützen und zu erhalten. Als erstes Naturschutzgebiet wurde in der Maremma 1975 der Parco dell'Uccellina mit 177 km^2 eingerichtet. Der größte Naturpark mit 540 km^2 liegt seit 1985 in den Apuanischen Alpen, der neueste entstand 1991 im Casentino mit 350 km^2. Diese Schutzgebiete zeugen neben zahlreichen kleinen Oasen – insgesamt stehen mit 1270 km^2 etwa 5,5 % der Region unter Naturschutz – für das zunehmende Umweltbewußtsein. Erste Erfolge zeigen sich bereits: So sind z. B. sechzig Wölfe wieder in der Toskana heimisch.

Probleme gibt es aber noch genug, vor allem im Bereich des Luft- und Wasserschutzes. In der Nähe der Flußmündungen sollte man generell lieber aufs Baden verzichten. An heißen Sommer-

tagen sind nämlich viele Flüsse von Kloaken kaum zu unterscheiden.

Von 389 km Badeküste der insgesamt 573 km langen toskanischen Küste sind zwar nur 17 km permanent wegen Umweltverschmutzung gesperrt – allerdings fehlen von weiteren 92 km, das sind fast 24 %, ausreichende Analysen.

Die teilweise enorme Luftverschmutzung in den Städten wird in erster Linie durch Autoabgase verursacht – wie bei uns. Die Sperrung der Innenstädte für den Privatverkehr bietet Fußgängern die Möglichkeit zu einem angenehmen Bummel, für eine echte Reduzierung der Schadstoffe müßten aber weitaus mehr Leute – auch Touristen – komplett auf ihr Auto verzichten.

In Florenz ist jedoch z. B. nur der Kern des Zentrums unzugänglich, und Ausnahmegenehmigungen gibt es genug. Die Smogwerte überschreiten daher besonders bei ungünstigen Wetterlagen regelmäßig die gesetzlichen Grenzwerte und führen immer häufiger zu einem völligen Fahrverbot in der Stadt. Es ist daher keine Seltenheit mehr, daß die wenigen Radfahrer in Florenz mit Atemmasken unterwegs sind!

Zypressensterben

Das Wahrzeichen der Toskana, die Zypresse, leidet seit Jahren an einer noch immer unbekannten Krankheit, die vermutlich durch die Umweltverschmutzung bedingt ist. Dürre Äste, bräunliche Färbung, auch stark gelichtete Wipfel sind untrügliche Kennzeichen befallener Bäume. Viele Auffahrten zu prächtigen Villen machen mittlerweile einen traurigen Eindruck, und selbst die berühmten Zypressen von Bolgheri müssen teilweise durch eine neue, widerstandskräftigere Sorte ersetzt werden.

Bevölkerung

Als Mann hat man in der Toskana gute Chancen, eine Partnerin zu finden: Die Bevölkerung besteht zu 52 % aus Frauen. Insgesamt lebten bei der letzten italienischen Volkszählung 1991 in der Toskana 3 529 946 Einwohner, um 1,42 % weniger als zehn Jahre zuvor. Die Zahl würde noch niedriger liegen, wenn nicht besonders viele Zuwanderer gerade in diese Region kämen, denn Italien (und die Toskana macht da keine Ausnahme) ist das geburtenschwächste Land der Welt.

Besonders drastisch war der Rückgang der Einwohnerzahl in den Provinzhauptstädten mit fast 6 %. Auch in Italien ziehen die Menschen aus den größeren Städten weg – kein Wunder bei der Umweltbelastung! – in kleinere Gemeinden oder aufs Land. Am dichtesten besiedelt ist das Arno-Tal (mehr als 300 Einwohner pro km^2), während weite Gebiete im Zentrum und im Süden der Region weniger als 50 Einwohner pro km^2 aufweisen.

Kommunistische Katholiken

Katholisch? – natürlich! Kommunistisch? – natürlich auch! Wenngleich sich die Kommunisten in Partito Democratico della Sinistra (PDS) umbenannt haben. Die Bevölkerung wählt in der Toskana traditionell links. Bei der letzten nationalen Parlamentswahl im Jahre 1996 erhielt hier das Mitte-Links-Bündnis („Ulivo“) mit seinem Spitzenkandidaten Prodi 60 % und das Rechtsbündnis („Polo della Libertà“) 37,8 %. Mehr als zwei Drittel aller Brautpaare heiraten aber nach wie vor in der Kirche (74 %). Obwohl der Papst im Lande wohnt, spielt die Religion heute im Leben vieler Menschen keine Rolle mehr, und beim Rosenkranzgebet sitzen meist nur alte Frauen in der Kirche. Religiöse Traditionen wie Prozessionen oder die Feste der Stadtheiligen werden hingegen nach wie vor von allen Bürgern mitgetragen und erfreuen sich großer Beliebtheit. Ihr volkstümlicher Charakter tritt hier mehr in den Vordergrund, als so manchem Bischof recht ist!

Vergnügungen lieben die Toskaner ohnehin, was auch die Statistik beweist: Bei den Ausgaben dafür liegen die Bewohner der Toskana im Vergleich mit den 19 anderen italienischen Regionen an vierter, für Kino an zweiter Stelle! Und schlecht über sich reden, das tun sie auch gerne. Curzio Malaparte, selbst ein Toskaner, ist mit

Steckbrief

Fläche: 22 993 km^2 (= 7,7 % der Fläche Italiens, fünftgrößte der 20 italienischen Regionen).

Gebirge: 25 % (am Nordrand der Toskana sowie der Monte Amiata im Süden).

Hügelland: 67 % (im Zentrum).

Ebene: 8 % (Arno-Mündung und Maremma.)

Höchste Berge: Monte Prato 2053 m, Monte Amiata 1738 m.

Küste: 572 km.

Längste Flüsse: Arno 241 km, Ombrone 161 km, Serchio 103 km.

Bodenbeschaffenheit: Wald: 40 %; Wiesen und Weiden: 9 %; Ackerbauflächen: 32 %; Oliven-, Wein- und Obstbau: 11 %; sonstige Flächen: 8 %.

Weinbau: 61 800 ha (= 2,7 % der Gesamtfläche).

Unter Naturschutz: 1270 km^2 (= 5,5 %).

Bevölkerung: 3 523 000 (= 6,15 % der Italiener, 9. Stelle der Regionen).

Gliederung: in 10 Provinzen (Arezzo, Florenz, Grosseto, Livorno, Lucca, Massa Carrara, Pisa, Pistoia, Prato, Siena) und 287 Gemeinden.

Größte Städte: Florenz mit 387 500, Prato mit 168 000, Livorno mit 165 800 und Pisa mit 95 600 Einwohnern.

Bevölkerungsdichte: durchschnittlich 153 Einw./km^2; geringste Dichte in Monteverdi Marittimo und in Radicondoli mit jeweils 8 Einw./km^2; größte Dichte in Florenz mit 3881 Einw./km^2.

Erwerbstätige: 42,5 %, davon Arbeitslose 8,5 %; Arbeitende 91,5 %; von den Arbeitenden sind beschäftigt in der Landwirtschaft: 4,5 %, Industrie: 34,9 %, sonstige: 60,6 %. Nur 34 % der Frauen arbeiten gegenüber 52 % der Männer.

Ausgaben für Veranstaltungen: Die Toskana liegt an vierter Stelle der 20 Regionen.

Museumsbesucher: Fast 25 % aller Museumsbesucher Italiens gehen in ein Museum der Toskana und mehr als 60 % aller Galeriebesucher.

Touristen: Fast 8 Millionen pro Jahr, davon 3,6 Millionen Besucher aus dem Ausland.

seinem Buch „Verdammte Toskaner“ ein unterhaltsames Beispiel.

„Campanilismo“ im schönsten Italienisch

Fragt man einen Rosenheimer, woher er kommt, lautet die Antwort: aus Bayern. Fragt man hingegen einen Bewohner Luccas, so lautet die Antwort mit Sicherheit nicht: aus der Toskana, sondern: aus Lucca! Bis heute spiegelt sich die einstige Aufspaltung der Toskana in kleine selbständige Stadtstaaten in dieser Reaktion wider. Die Bevölkerung entwickelte keinerlei Regionalbewußtsein, das Großherzogtum Toskana wurde immer als etwas Künstliches, Aufgezwungenes empfunden. Bis heute spürt man die kleinen Eifersüchteleien, wenn Florenz unbedingt den eigenen Flughafen ausbauen möchte, obwohl es in Pisa den günstiger gelegenen Flughafen Galileo Galilei gibt ... Man spricht hier von „Campanilismo“, Kirchturmpolitik.

Wer ein bißchen Italienisch gelernt hat, wundert sich vielleicht, daß er gerade in der Toskana die Leute besonders gut versteht. Die Bevölkerung ist hier zu Recht ausgesprochen stolz auf ihre Sprache. Dante, Petrarca und Boccaccio – die drei Größen der italienischen Literatur – schrieben in toskanischem (Florentiner) Dialekt. Daher wurde dieser Dialekt im 16. Jh. zur allgemein akzeptierten Nationalsprache erhoben. Heute wird er als Standarditalienisch gelehrt, vergleichbar dem Oxford-Englisch. Nur eine Abweichung in der Aussprache kennzeichnet sofort jeden Toskaner, auch wenn er ein noch so stilreines Italienisch spricht: K-Laute werden in der Toskana mit einem „H“ aspiriert, aus der Coca-Cola wird so die „Chocha-Chola“!

Wirtschaft

Die bekanntesten Exportprodukte der Toskana, ihre hervorragenden Weine wie Chianti, Brunello oder Vino Nobile, lassen zusammen mit dem ausgezeichneten Olivenöl den Eindruck entstehen, die Wirtschaft der Region basiere überwiegend auf Agrarerzeugnissen. Es arbeiten jedoch nur 61 000 Menschen, ganze 4,5 %, in der Landwirtschaft; ein Drittel der Toskaner schuftet in den Industriebetrieben des Arno-Tals, und bereits über 60 % bieten Dienstleistungen an. In dieser Wachstumsbranche garantieren fast 8 Millionen Touristen pro Jahr (davon 3,6 Millionen aus dem Ausland) vielen Menschen ihr Auskommen.

Wie überall in Europa steckt die Industrie auch in der Toskana in der Krise, allein in den letzten zehn Jahren gingen ca. 100 000 Stellen verloren. Einzig mit hochwertigen Produkten gelingt es meist kleineren Betrieben, sich über Wasser zu halten. Elegante Schuhe, Textilien, Leder- und Papierwaren werden dank ihres anspruchsvollen Designs ja auch bei uns gerne gekauft.

Und nur Qualität rettet auch die Weinbauern. Sie setzen auf Spitzenweine, und so liegen bereits 14 % der Anbaufläche Italiens für Weine mit dem Gütesiegel DOC heute in der Toskana.

Einen Neuanfang mußte die Olivenölproduktion nach dem Winter 1986 wa-

Bauernhöfe

Die Halbpacht („mezzadria“) als entscheidender Landschaftsgestalter? – Ihr verdanken wir nämlich die einzeln stehenden, für die Toskana so typischen Bauernhäuser. Die Stadtbewohner, die den größten Teil des Landes in ihrem Besitz hielten, vergaben ihren Grund und Boden für die halbe („mezza“) Ernte an die Bauern, die dafür ihre Arbeitskraft boten. Da jeder Bauer auch ein Gehöft zur Verfügung gestellt bekam, das möglichst nah an den Feldern liegen sollte, sieht man noch heute in der Toskana überall verstreut diese „poderi“ (Bauernhäuser).

gen, da viele der knorrigen alten Bäume die außergewöhnliche Kälte nicht überlebten. Erst langsam investieren die Bauern durch Neuanpflanzungen wieder in die Zukunft – und verändern damit die über Jahrhunderte gewachsene Landschaft: Denn nicht die alten, unregelmäßig stehenden Ungetüme, sondern in Reih und Glied gestutzte Bäumchen entsprechen modernsten Anbaumethoden. Nur durch Rationalisierung und Qualität können die „contadini" (Bauern) überleben – und wenn sie ihre Höfe doch aufgeben müssen, wartet sicher schon ein deutscher Käufer, der Biowein anbaut oder Töpferkurse anbietet ...

Die Marmorbrüche von Carrara

Föderalismus? Bisher nicht!

Die Toskana ist eine der 15 neuen Regionen, die im Jahre 1970 eingerichtet wurden (insgesamt existieren 20 Regionen in Italien). Ihr Statut, d. h. die Verfassung, läßt – wie das der übrigen 14 gleichzeitig geschaffenen Regionen auch – kaum Spielraum für eigene Entscheidungen oder gesetzgeberische Tätigkeit und weist fast keinerlei eigene Einnahmen zu. Die Region kann daher trotz Regionalparlament, -präsident und -ministerrat nicht mit einem deutschen Bundesland verglichen werden. Sie ist, zumindest bisher, fast ausschließlich Befehlsempfängerin der Zentralregierung in Rom – und eine Möglichkeit, für verdiente Parteimitglieder Posten zu beschaffen ...

Etwa den deutschen Landkreisen entspricht die Untergliederung der Toskana in zehn Provinzen: Arezzo, Florenz, Grosseto, Livorno, Lucca, Massa Carrara, Pisa, Pistoia, Prato (seit 1993) und Siena. Ihnen steht ein vom Zentralstaat eingesetzter Präfekt vor, der mehr Kompetenzen besitzt als das Parlament der Provinz. Selbst auf Gemeindeebene halten die Selbstverwaltungselemente einem Vergleich mit Deutschland nicht stand. Die Gemeinden verfügen kaum über eigene Entscheidungsbefugnisse.

Geschichte im Überblick

um 900 v. Chr. Villanova-Siedlungen entstehen auf dem Gebiet der Toskana.

um 550 v. Chr. Blütezeit des Etruskerreiches unter dem Bund der 12 Städte.

280 v. Chr. Abschluß der Eroberung der Etruskerstädte durch Rom.

59 v. Chr. Cäsar gründet Florenz.

395 n. Chr. Zur Zeit der Völkerwanderung herrschen nacheinander Westgoten, Ostgoten, Byzantiner und Langobarden.

570 Lucca wird Hauptstadt des langobardischen Herzogtums Toskana.

774 Karl der Große erobert das Langobardenreich; die Toskana untersteht nun dem deutschen Kaiser.

um 1000 Markgraf Hugo leitet den Aufschwung von Florenz ein.

11. Jh. Pisa steigt zur Seemacht im Mittelmeer auf.

12. Jh. Fast alle Städte der Toskana wählen eigene Regierungen.

12.–14. Jh. Es toben heftige Kämpfe zwischen den einzelnen Städten.

Toskaner trifft man vom Mittelmeerraum bis Nordeuropa als Kaufleute und Bankiers.

1406 Mit der Eroberung Pisas schließt Florenz den Aufbau eines Regionalstaates in der Toskana ab.

1434 Cosimo de' Medici übernimmt die Macht in Florenz.

15. Jh. Florenz ist das wichtigste Kulturzentrum Europas; die Renaissance erreicht unter Cosimo und seinem Enkel Lorenzo il Magnifico ihren Höhepunkt.

1530 Kaiser Karl V. übergibt die Toskana als Herzogtum an die Medici.

1555 Cosimo I. de' Medici gewinnt Siena zum Herzogtum hinzu.

1569 Papst Paul V. erhebt Cosimo I. zum Großherzog der Toskana.

17. Jh. Das Herzogtum erlebt einen unaufhaltsamen Niedergang.

1737 Tod des letzten Medici Gian Gastone; die Toskana fällt an Herzog Franz von Lothringen, den Gemahl der Kaiserin Maria Theresia von Österreich.

1799–1815 Napoleonisches Intermezzo.

1847 Die freie Republik Lucca wird ins Großherzogtum eingegliedert.

1859–1860 Die Österreicher müssen nach wiederholten Volksaufständen die Toskana verlassen. Die Bevölkerung wählt in einer Volksabstimmung den Anschluß an das Königreich Sardinien-Piemont.

1865 Florenz wird Hauptstadt des neuen Königreiches Italien.

1871 verliert Florenz seine Hauptstadtfunktion. Die Toskana teilt das Schicksal des italienischen Einheitsstaates.

1944 Der deutsche Verteidigungswall („Gotische Linie") im Apennin verläuft an der Nordgrenze der Toskana, die so zum Kampfgebiet wird.

1966 Verheerende Hochwasserkatastrophe in Florenz.

1970 15 neue Regionen, unter ihnen die Toskana, entstehen. Die ersten Regionalwahlen gewinnen die Kommunisten.

1993 Prato wird 10. Provinz.

1996 Bei den Parlamentswahlen gehen in der Toskana alle Direktwahlkreise zu Senat und Abgeordnetenhaus (bis auf einen) an das Mitte-Links-Bündnis.

Kultur gestern und heute

Statue im Etruskischen Museum in Chiusi

Wie alles begann

Die ältesten Kunstwerke der Toskana stellten Siedler in der Lunigiana vor 4000 Jahren her. Welche Funktion diese *Stelen* genau besaßen, weiß heute keiner mehr – wundersam muten sie im Museum von Pontremoli an.

Die Etrusker

Die Kunst der Etrusker kommt uns wohl eher entgegen. Auf ihren Graburnen lächeln die Toten zunächst statisch nach griechischem Vorbild. Doch ab dem 5./4. Jh. erhielten sie realistische Züge. So mancher Etrusker im Museum von Chiusi ist sogar richtig häßlich! Der ausgeprägte Totenkult führte zur Errichtung riesiger Nekropolen. Den Verstorbenen gab man alles mit, was sie auch im Leben besaßen: Waffen, Schmuck, Gefäße. Die bedeutendsten *archäologischen Museen* findet man in Florenz, Volterra, Arezzo und Chiusi, die schönsten *Grabhügel* in *Populonia, Vetulonia* und *Chiusi;* in *Roselle* besichtigt man eine freigelegte Stadt.

Lorenzo il Magnifico de' Medici

Die Römer

Die Römer hinterließen der Toskana einige *Amphitheater* wie in Fiesole, Roselle, Volterra und Arezzo. Ihre Kunst bewundert man in archäologischen Museen – und in Kirchen. Man verwendete Kapitelle, Säulen, Marmorplatten (selbst mit Inschriften) und sogar Sarkophage wieder – Kunsthistoriker sprechen von *Spolien,* Wirtschaftsfachleute von Recycling! Römische Gerichtsgebäude – *Basiliken* – beeinflußten auf ganz eigene Weise das Mittelalter: Sie wurden mit ihrem

Leopold I. Großherzog der Toskana von 1765 bis 1790

hohen Langhaus, den drei durch Säulen gegliederten Schiffen und dem offenen Dachstuhl Vorbild für unsere christlichen Kirchen.

Die Romanik

Unzählige romanische Landkirchen in der Toskana weisen diese einfache basilikale Form auf. Ihre Schlichtheit fasziniert ebenso wie die Fabelwesen, Monster und Drachen der Kapitelle und Reliefs.

Die aufstrebenden Städte gaben sich mit kleinen Kirchen natürlich nicht mehr zufrieden. Pisa baute sich einen prächtigen romanischen Dom – nicht nur aus der Notwendigkeit der Seelsorge, sondern auch als Ausdruck des Stolzes und der Macht der Kommune. Ähnliches gilt für *San Michele in Foro* in Lucca, für *Baptisterium* und *San Miniato al Monte* in Florenz. Beide Gebäude zeichnen sich durch ihre grandiose Harmonie aus, an die sonst nur noch die *Collegiata S. Andrea* in Empoli heranreicht.

In der Bildhauerei steht *Niccolò Pisano* (um 1220–1278) am Ende der Romanik. Seine *Kanzeln* im Baptisterium von Pisa und im Dom von Siena bilden den Übergang zur Gotik, den sein Sohn *Giovanni* (um 1245–nach 1314) dann vollzog – man beachte nur Tiefe und Bewegtheit der Reliefs der *Kanzeln* im Dom von Pisa und in Sant'Andrea in Pistoia. Aber nicht nur gotische Lieblichkeit findet sich bei ihm; noch stärker als bei Niccolò ist die Antike spürbar. Es treten hier erstmals individuelle, faßbare Künstlerpersönlichkeiten hervor, nicht mehr nur anonyme „Handwerker". Selbstbewußtsein zeigten nun auch die Maler: Das älteste signierte Bild bewahrt das Museo Medievale e Moderno in Arezzo auf; es stammt von *Margaritone*.

Berühmte Toskaner

Die drei großen italienischen Literaten *Dante Alighieri* (Florenz, 1265 bis 1321), *Francesco Petrarca* (Arezzo, 1304 bis 1374) und *Giovanni Boccaccio* (Certaldo, 1313-1375) stammen aus der Toskana. Ihr Erfolg machte den toskanischen Dialekt zur italienischen Nationalsprache. *Niccolò Machiavelli* (Florenz, 1469 bis 1527) wurde als Vater der politischen Wissenschaften mit seinem „Principe" („Der Fürst") weltberühmt. *Galileo Galilei* (Pisa, 1564 bis 1642) zählt zu den wichtigsten Astronomen und Physikern aller Zeiten. Seine Forschungen befreiten die Wissenschaft vom Staub des Mittelalters und stellten sie auf empirisch nachprüfbare Grundlagen. Der Luccheser *Giacomo Puccini* (1858–1924) gehört wie *Pietro Mascagni* (1864–1945) aus Livorno zu den bedeutendsten italienischen Komponisten.

Die Gotik

Die Gotik kam mit den Zisterziensern. Bei den neuen Orden des 13. Jhs., den Franziskanern, Dominikanern und Augustinern fand sie für den Bau von Kirchen Anklang. Breite Langhäuser, offene Dachstühle, aneinandergereihte Querhauskapellen zeichnen die *Bettelordenskirchen* aus – Spitzbogenfenster sind vorhanden, aber der Drang nach oben der deutschen oder französischen Kathedralen fehlt.

Ein neues Ideal, die Predigt für das Volk, stand hinter den weiten Saalkirchen. Selbst die Wände wurden in diesem Sinne genutzt: Die großartigen Fresken, die man heute sieht, waren eine Art „Bibel zum Anfassen" für die Menschen von früher. Die Malerei tritt nun in den Vordergrund. Nicht mehr „al secco", sondern „al fresco", auf den feuchten Putz, wurde gemalt. Das Erbe der Byzantiner, gut sichtbar in den *bemalten Holzkreuzen* mit ihren starren Körpern und stilisierten Gesichtern, wurde in Siena von der Gotik überwunden. Maler wie *Duccio* (um 1255 bis 1319), *Simone Martini* (1284 bis 1344), *Pietro* (1280–nach 1345) und *Ambrogio Lorenzetti* (1290–1348) genießen einen besonderen Ruf.

In Florenz war es die neue Geistigkeit *Giottos* (1266–1337), die von der Gotik zur Renaissance wies. Seine körperbewußten Menschen, Licht- und Schattenspiele sowie architektonische Motive ließen die Bilder zu einer dichten Einheit verschmelzen.

Dante Alighieri

Die Renaissance

Zu den wichtigsten Künstlern der Renaissance zählt *Brunelleschi* (1377 bis 1446). Antike Vorbilder liegen seinen perfekt geplanten harmonischen Räumen zugrunde. Kaum einer ist so schön wie die Cappella Pazzi (Santa Croce, Florenz). Die Verbreitung der geometrischen Perspektive – eine echte Revolution – ließ die Bilder an Tiefe gewinnen. *Masaccio* (1401–1428) setzte diese Wirkung im Trinitätsfresko in Santa Maria Novella, Florenz, und in der Brancacci-Kapelle in Santa Maria del Carmine als erster um. *Benozzo Gozzoli* (1420–1498) erzählte nun farbenreiche Geschichten (Palazzo Me-

Galileo Galilei

Der Geist der Renaissance

Seit dem ausgehenden 14. Jh. wuchs unter den führenden bürgerlichen Schichten in Florenz das Interesse an Vorbildern für ihre republikanische Staatsform. Tugenden und Freiheitswerte des alten Rom kamen in Mode, man bewunderte und studierte die Kunst, die Philosophie, die Literatur und die Sprachen der Antike. Man fühlte sich einer neuen Weltsicht verbunden, die den Menschen in den Mittelpunkt stellte. Dies führte zu einer Wiedergeburt („Renaissance") des antiken Schönheitsideals in allen Bereichen der Kunst. Naturgetreue griechische und römische Statuen waren nun en vogue, nicht mehr die romanischen Fabelwesen des Mittelalters oder gotischer Zierrat. Der Reichtum aus Handel und Bankgeschäften erlaubte den mächtigen Florentiner Familien (allen voran den *Medici*) ein großzügiges Mäzenatentum zugunsten von Künstlern und Philosophen. Ihre Rivalität untereinander trugen die verschiedenen Familien dann mit Hilfe prächtiger Bauten, Skulpturen und Bildern aus. Man wollte sich gegenseitig ausstechen. So wurde Florenz das Zentrum der Renaissance-Kultur mit einer wahren Fülle weltweit bewunderter Kunstwerke.

dici-Riccardi), *Ghirlandaio* (1449 bis 1494) porträtierte die High-Society um Lorenzo il Magnifico (S. Trinità), und *Botticelli* bezaubert noch heute mit seinem Frühling (Uffizien).

Donatello (1386–1466) schuf mit seinem David (Bargello) den ersten freistehenden Akt seit der Antike. *Ghiberti* (1348–1455) mit den Baptisteriumstüren, *Luca della Robbia* (1399–1482) mit der Sängerkanzel (Dommuseum) oder der Sienese *Jacopo della Quercia* (1367–1438) mit seiner Ilaria (Lucca, Dom) erlangten Unsterblichkeit. In Siena arbeitete mit *Francesco di Giorgio Martini* (1439–1502) ein Allroundgenie als Architekt, Maler und Erfinder.

Mit *Leonardo da Vinci* (1452–1521) und *Michelangelo* (1475–1564) tritt die Renaissance in Florenz in ihre höchste Phase ein und endet zugleich: Michelangelo wandert zusammen mit *Raffael* (1483–1520) nach Rom zu Papst Julius II. ab. Der wirtschaftliche und politische Niedergang von Florenz – und der Toskana – wirkte sich negativ aus. Die großen Familien fehlten als Auftraggeber, eine eigenständige Kunstszene gab es nicht mehr. Die Medici bauten nun allein zu ihrem Ruhm. Zum ersten Mal hatte selbst ein Ausländer, der Flame *Giambologna* (1529 bis 1608), Erfolg in Florenz ...

Stadtkultur

Die Stadtkultur prägte bereits das Leben der Etrusker. Der *Bund der zwölf Städte* war ihre wichtigste politische Institution. Auch die Römer gründeten Städte in der Toskana – die rechtwinklige Anlage ihrer Straßen ist bis heute erkennbar. Diese alten Wurzeln der Stadtkultur kamen im Mittelalter voll zum Tragen. In der Toskana verstanden sich auch Orte wie Prato oder San Gimignano, die keinen Bischof besaßen, als Städte. Gleiches gilt für Burgorte wie Colle di Val d'Elsa, Montalcino oder Montepulciano. Wichtig waren Mauern, kommunale Verwaltung und ein – wenn auch kleines – unterworfenes Umland. Bis heute prägen Städte Kultur und Landschaft der Region, Dörfer sind relativ selten, höchstens sieht man einzeln stehende Bauernhäuser. Stadtbürger, nicht Landbewohner, sind die Toskaner.

Veranstaltungskalender

Palio delle Contrade in Siena: Am 2. Juli und am 16. August findet auf dem Campo das berühmte Pferderennen statt, an dem jeweils zehn der 17 Stadtviertel („contrade") teilnehmen. Vorausgeht ein farbenprächtiger Umzug in historischen Gewändern des 14. Jhs., es folgt das Siegesfest. Die vergnügliche Lektüre „Der Palio der toten Reiter" von Carlo Fruttero/Franco Lucentini, ein hintergründiger Siena-Krimi, erklärt nebenbei sehr gut das Festritual und die Bedeutung dieses Ereignisses für die Sienesen. Es handelt sich beim Palio nämlich keineswegs um ein Touristenspektakel, das Rennen ist vielmehr Ausdruck der Lebenswirklichkeit der Stadt.

Giostra del Saracino in Arezzo: Am vierten Juni- und ersten Septembersonntag findet das Sarazenenturnier, ein historisches Ritterspiel, auf der Piazza Grande statt. Jedes der vier Stadtviertel stellt zwei in alte Rüstungen gekleidete „Ritter", die mit einer Lanze gegen den Sarazenen (eine große drehbare Holzpuppe) reiten. Für jeden Treffer gibt es Punkte.

Gioco del Ponte in Pisa: Das Brückenspiel findet am letzten Junisonntag statt. Ursprünglich verprügelten sich die Mannschaften aus den zwei durch den Arno getrennten Vierteln Mezzogiorno und Tramontana auf dem Ponte di Mezzo. Heute schieben nach einem farbenprächtigen Umzug mit mehr als 700 Teilnehmern jeweils drei Mannschaften pro Flußseite ein auf

Schienen montiertes Gestell, um die Brücke zu erobern. Der Gioco del Ponte ist Höhepunkt des *Giugno Pisano*, zu dem auch eine *Regatta* und die kerzenbeleuchteten Arno-Ufer am 16. Juni, dem Vorabend des *Festtags des Stadtheiligen San Ranieri*, gehören.

Calcio Storico in Florenz: Dreimal im Juni (einmal immer am 24. Juni, dem Festtag des Stadtheiligen Johannes des Täufers) findet das historische Fußballspiel in Trachten des 16. Jhs. auf der Piazza Santa Croce statt. Es erinnert an den Zeitvertreib der 1530 in der Stadt eingeschlossenen Soldaten, die so vor dem Kampf den belagernden kaiserlichen Truppen ihre Geringschätzung zeigten.

Der Affenbrunnen im Giardino di Boboli in Florenz

Scoppio del Carro in Florenz: Am Ostersonntag steht ein geschmückter und mit Feuerwerkskörpern beladenener Wagen *(„carro“)* vor dem Baptisterium, zu dem beim Gloria der Auferstehungsmesse vom Dom aus eine mechanische Taube fliegt. Entzündet sie das Feuerwerk, wird es ein gutes Jahr.

Das Ereignis in Siena – der Palio delle Contrade

Giostra dell'Orso in Pistoia: Am 25. Juli, dem Festtag des Stadtheiligen Jakob, bestreiten zwölf Ritter nach einem malerischen Umzug in historischen Kostümen ein Turnier, bei dem sie unter Trommelwirbel und Fanfarenklängen zwei stilisierte Bärenfiguren mit angelegten Lanzen zu treffen versuchen. Der Bär *(„orso“)* ist das Wappentier Pistoias und die Giostra Höhepunkt des *Luglio Pistoiese* mit viel Musik und Kultur.

Palio dei Balestrieri in Sansepolcro: Im Mai ziehen die Armbrustschützen aus Sansepolcro nach Gubbio (Umbrien), um zu Ehren von Sant'Ubaldo zu streiten. Am zweiten Sonntag im September erwidern die Schützen von Gubbio den Besuch und schlagen sich in San Sepolcro für Sant'Egidio. Die historischen Kostüme kopierte man von Bildern Piero della Francescas!

Feste der Völlerei

Sagre sind Eß-Feste, die einem Produkt gewidmet sind: Sagra della Fragola (Erdbeere), del Tortello (gefüllte Nudeln), del Cinghiale (Wildschwein), del Fungo (Pilz) etc. Nirgends in Italien liebt man diese Feste, die meist von Musik und Tanz umrahmt werden, so sehr wie in der Toskana, und nirgends gibt es so viele. In angenehmer Gesellschaft gut zu essen und zu trinken gehört mit Sicherheit zu den Lieblingsbeschäftigungen der Toskaner, und genau das kann man bei einer Sagra, und zwar meist relativ preiswert!

Aus Küche und Keller

Die Basis der toskanischen Küche ist das Öl. Und zwar nicht irgendein Öl, sondern das hervorragende „Olio d'Oliva Extra Vergine". Allein schon der zarte, harmonische Duft! Die Farbe reicht von Goldgelb bis hin zu grünlichen Reflexen. Die gewaschenen Oliven werden mechanisch gepreßt, anschließend wird das Öl filtriert und sedimentiert. Chemische Manipulationen sind natürlich strengstens verboten! Das Öl schmeckt angenehm frisch nach Oliven, kurz nach der Pressung ist es leichter und säuerlicher.

Reichlich Olivenöl also und viele Gewürze wie Rosmarin und Salbei, Thymian, Basilikum, Petersilie, aber auch Knoblauch und Zwiebeln verwendet die toskanische Küche. Man liebt es hier einfach und deftig: ein geröstetes, mit Olivenöl getränktes Knoblauchbrot *(fettunta)*, eine Getreidesuppe *(farro)*, ein gutes Stück Fleisch vom Grill *(bistecca alla fiorentina)*, Feldsalat *(lattughella)*. Raffinierte Suppen oder Saucen wird man vergeblich suchen, aber schmecken wird es mit Sicherheit ...

Fangen wir mit typischen *antipasti* (Vorspeisen) an: *crostini* (geröstete Brote mit Leberpastete) oder *fettunta* (s. o.) sind beliebt. Ausgezeichnet schmeckt auch die toskanische Salami, z. B. die *finocchiona* (mit Fenchelsamen). Unter den Würsten gelten besonders die Wildschweinwürstchen *(salsiccie di cinghiale)* als Delikatesse. Das *pinzimonio*, bei dem rohes Gemüse in mit Salz gewürztes Olivenöl getaucht wird, kann als Vorspeise wie auch als Beilage gegessen werden.

Zu den beliebtesten *primi piatti* (warme Vorspeisen) zählen die Suppen: *ribollita*, die aus Gemüse, Kohl und Brot besteht und mit Olivenöl abgeschmeckt wird, *pasta e fagioli*, ein Nudeleintopf mit Bohnen, oder *farro* (s. o.). Die *pappardelle* mit Hasenragoutsoße *(sugo di lepre)* sind *das* Nudelgericht der Toskana. An heißen Sommertagen ist aber auch die *panzanella*, ein kaltes Gericht aus Brot, Tomaten, frischen Gemüsen, Olivenöl und Basilikum sehr zu empfehlen.

Fleisch, Fleisch und nochmals Fleisch – Vegetarier tun sich bei den Hauptspeisen der Toskana schwer. Trösten können sie sich mit einem *tortino di carciofi*, gebackenen Artischocken, die mit geschlagenem Ei und duftenden Kräutern zubereitet werden, oder Pilzen vom Holzkohlengrill *(funghi alla griglia)*. Die *bistecca alla fiorentina*, ein auf Holzkohlenfeuer gebratenes, gewaltiges Rindfleischstück von ca. 500 Gramm, das mit feinstem Olivenöl, Salz und Pfeffer angerichtet wird, kann man sich auch gut teilen.

Aus Wildbret wie Hase *(lepre)*, Wildschwein *(cinghiale)* und Fasan *(fagiano)* werden ausgezeichnete Eintöpfe *(in umido)* zubereitet. In der Toskana besteht auch eine große Vorliebe für Innereien. Die *trippa alla fiorentina*, gekochter Kuhmagen in einer Tomatensoße mit Parmesan, ist aber vielleicht nicht jedermanns Geschmack. Auch Hirn *(cervella)*, Kuhdarm *(lampredotto)* und Hoden *(granelli)* sind es wert, probiert zu werden.

An der Küste gibt es natürlich Fische und Muscheln aller Art: Der *cacciucco alla livornese*, eine Suppe aus Fischen, Schalentieren und geröstetem Brot in einer Tomatensoße ist besonders fein.

Neben den klassischen italienischen Beilagen *(contorni)* – die in Italien extra bestellt werden müssen – wie Pommes frites *(patate fritte)*, Salat *(insalata)* oder Gemüse *(verdura cotta)* findet man als typisch toskanische Spezialität *fagioli all'uccelletto*, weiße Bohnen in Tomatensoße. Als Nachtisch schmeckt der *pecorino* (Schafskäse) aus dem Süden der Toskana besonders gut. Und ganz zum Schluß: *dolci* – Süßspeisen, z. B. ein Kuchen mit Pinienkernen *(torta con i bischeri)* – falls man nicht doch *Cantuccini* (trockenes Mandelgebäck) in *Vin Santo,* den typischen toskanischen Dessertwein, tauchen möchte ...

Zum Essen trinkt man Mineralwasser *(acqua minerale)* mit *(gasata)* und ohne Kohlensäure *(naturale),* in erster Linie aber Wein – schließlich ist die Toskana eines der bekanntesten italienischen Weinanbaugebiete.

Weltberühmt ist der aus der gleichnamigen Landschaft südlich von Florenz stammende Chianti (sprich Kiànti). Die einzelnen Sorten, die auch auf den Hügeln *(colli)* um Arezzo, Florenz, Siena und Pisa erzeugt werden, sind alle rubinrot und besitzen einen Alkoholgehalt von 11 bis 13 Prozent. Den *Chianti Classico* aus der klassischen Anbauzone zwischen Florenz und Siena kennzeichnet der schwarze Hahn *(Gallo nero).*

Neben dem Chianti produziert die Toskana jedoch noch eine Reihe weiterer Spitzenweine. An erster Stelle muß hier der *Brunello di Montalcino,* einer der weltbesten Rotweine genannt werden, der in der Gegend um Montalcino, im Süden von Siena, hergestellt wird. Auch der ausgezeichnete *Vino nobile di Montepulciano* kommt aus dem Süden Sienas. Zu den bedeutendsten Weißweinen gehört die *Vernaccia* aus San Gimignano – paßt sehr gut zu Fischgerichten. Ein neuer, leichter, weißer Tischwein ist der *Galestro.* Seine helle, strohgelbe Farbe erinnert an den Sommer, und mit nur 10,5 % eignet er sich ausgezeichnet für schöne Sommerabende im Freien.

Als Süßigkeiten für zwischendurch sind zu empfehlen: *fritelle, frati* oder *bomboloni* – Fritiertes, das an Straßenständen verkauft wird.

Tip

In Italien ist zu beachten, daß Nudelgerichte nur als Vorspeise gelten und oft nicht ohne ein Hauptgericht *(secondo piatto)* bestellt werden können. Auch die Sitte, daß Rechnungen nur tischweise, nicht einzeln, gestellt werden, ist für den deutschen Urlauber ungewohnt. Auf der Rechnung ist meist zusätzlich ein Betrag für *pane e coperto* (Brot und Gedeck) ausgewiesen (pro Person zwischen 1000 und 3000 Lire).

Nicht so bekannt wie der Parmaschinken, aber genausogut

Frische Zutaten kennzeichnen die toskanische Küche

Urlaub aktiv

Kultururlaub kann man in der Toskana hervorragend mit aktivem Urlaub am Strand oder in den Bergen verbinden.

Baden kann man an der ganzen Küste – die Flußmündungen sollte man allerdings aufgrund der Verschmutzung lieber meiden. Von Norden nach Süden wechseln die sandigen Strände der Versilia mit den felsigen Badebuchten der Etruskischen Riviera, um dann erneut in die Sandstrände der Maremma überzugehen.

Segelschulen gibt es in Viareggio, Marina di Pietrasanta (ⓘ beim APT, s. S. 73/74) sowie in Vada (Circolo Velico Pietrabianca, ☎ 05 86/78 83 02) und in Castiglione della Pescaia, Molo di Levante (☎ 05 64/93 70 98).

Tauchschulen finden sich in Forte dei Marmi, Viareggio (ⓘ beim APT, s. S. 73), Porto Santo Stefano, V. Civilini 10 (☎ 05 64/81 29 39) sowie in Porto Ercole (Centro Sub, Cala Galera, ☎ 05 64/81 01 45). *Motorboote* kann man im Golf von Baratti und in Viareggio mieten.

Fischen im Meer und Unterwasserjagd (besonders geeignet ist die Etruskische Riviera) sind ohne Genehmigung gestattet. Angler in Flüssen benötigen die Erlaubnis der Provinzialverwaltung. Für ausländische Touristen gibt es oft preiswerte Sondergenehmigungen, die ein halbes Jahr gültig sind.

ⓘ Federazione Italiana della Pesca Sportiva (Verband der Sportfischer), Rom, Viale Tiziano 70, ☎ (06) 36 85 85 22.

Wandern: „Trekking", wie die Italiener es so schön nennen, kommt im Moment gerade in Mode. Die Tour „Grande Escursione Appenninica" (Abkürzung GEA) führt in 25 Tagen 400 km durch den toskanischen Apennin. Die einzelnen Routen sind in der Reihe „Grandi Itinerari in Toscana" des Verlages Tamari beschrieben. Auskünfte zu den ausgeschilderten Routen in der Toskana erhält man bei den APTs oder beim Club Alpino Italiano (CAI) in Florenz (Via Studio 5, ☎ 055/2 39 85 80), der auch Exkursionen organisiert. 🕓 Mo–Sa 18–19.30 Uhr.

Spezialbuchhandlung in Florenz: „Il Viaggio", Borgo degli Albizzi 41 r. Gute Wanderkarten der Toskana.

Radfahren: Auch in der Toskana groß im Kommen! Bei den APTs erhält man Auskünfte über Radverleih, Karten und ausgeschilderte Touren, auch für Mountainbiker. In bestimmten Regional- („Treni Regionali") und Lokalzügen („Locali") ist es möglich, Fahrräder mitzunehmen. Organisierte Touren mit Gepäcktransport bucht man bei Travelo Radreisen, Pfalzstraße 32, 67378 Zeiskam, ☎ (0 63 47) 21 32, FAX 71 69.

Reiten: *Maneggi* (Reitställe) gibt es überall in der Toskana. Auskünfte erhält man bei den APTs. Besonders gut organisiert ist der G.T.E. (Garfagnana Turismo Equestre), der mehrtägige Ausritte durch die Garfagnana veranstaltet (Azienda Agrituristica „La Garfagnana", Castiglione Garfagnana ☎ 05 83/6 87 05).

Tip: „Garfagnana Vacanze" (Piazza delle Erbe 1, Castelnuovo Garfagnana ☎ FAX 05 83/6 51 69): Zusammenschluß von Spezialisten für Ferien in der Natur (Naturpark Apuanische Alpen), zu Fuß, mit dem Mountainbike oder zu Pferd.

Golfspielen kann man u. a. auf dem reizvoll gelegenen Golfplatz Ugolino bei Florenz, in Punta Ala, Viareggio und Tirrenia (Pisa).

Segelfliegen ist u. a. in Lucca, Siena und in Borgo San Lorenzo möglich (ⓘ Centro Nazionale di Volo a Vela dell'Aereo Club d'Italia, Via Rosatelli 111, Rieti, ☎ 07 46/20 21 38).

Thermalkuren sind in der Toskana fast überall möglich. Über die einzelnen Anwendungen informiert „Thermalorte Italia", eine auf deutsch erhältliche Broschüre der ENIT (s. S. 93)

Skifahren: Skigebiete gibt es um Abetone, Cutigliano und Maresca im Pistoieser Apennin mit 50 km Piste und über 30 Skiliften sowie am Monte Amiata, ebenfalls mit Skischule und zehn Liften (ℹ APT „Abetone-Pistoia-Montagna Pistoiese", Via G. Marconi 16, 51028 San Marcello Pistoiese, ☎ 05 73/63 01 45, FAX 62 21 20; APT, Via Mentana 97, 53021 Abbadia San Salvatore, ☎ 05 77/ 77 86 08, FAX 77 90 13).

Pferderennen gibt es in Florenz, Montecatini, Pisa, Livorno und Grosseto.

Italienisch lernen: Zahlreiche Sprachenschulen bieten besonders in Florenz und Siena Kurse für Ausländer an. Auskünfte erteilen die ENIT (s. S. 93) und die APTs.

Billiger sind die Kurse der Universitäten.
Florenz: Centro di Cultura per Stranieri, Via Vittorio Emanuele II 64.
Siena: Università per Stranieri, Via Pantaneto 45.
Pisa: Via Santa Maria 36, Kurse am Meer in Viareggio.

Musikkurse: Fortbildungskurse veranstaltet die Accademia Musicale Chigiana in Siena (Via di Città 89, ☎ 05 77/4 61 52).

Der Kursveranstalter Musica viva (Am Mittelberg 9, 65201 Wiesbaden, ☎ 06 11/ 9 41 02 46, FAX 42 92 68) offeriert ein reichhaltiges Angebot an Chor-, Instrumenten-, Jazz- und Kammermusikkursen, nebenbei kann man das „dolce vita" in der Toskana genießen.

Unterkunft

In einer Renaissance-Villa übernachten oder in einem Kastell aus dem 15. Jh.? Urlaub in einem Schloß? In der Toskana werden diese Träume gegen das nötige Kleingeld wahr. Aber ein Appartement in einem herrlich gelegenen Landhaus muß gar nicht so teuer sein (wenn man nicht gerade in der Hauptsaison unterwegs ist). Es gibt eine riesige Auswahl an Unterkünften, die auch besondere Wünsche erfüllen – vom See zum Angeln bis hin zum Malkurs.

Landhäuser, Villen und Appartements vermittelt: „Toscana Landhäuser", 89075 Ulm, Heidenheimer Str. 135, ☏ (07 31) 96 73 30, FAX 9 67 33 33.

Landhäuser mit Sprach- und Kochkursen: „La Bella Vita", 85417 Marzling, Nordstr. 7, ☏ (0 81 61) 2 19 77, FAX 2 19 78.

„Solemar" bietet exklusive Unterkünfte, dazu Touren zu den bekannten Weinbaugebieten, Kochen, Radfahren, Wandern oder Malen: „Touriex GmbH", Schwindstr. 1, 80798 München, ☏ (0 89) 52 50 97, FAX 52 60 55.

Familienferien: Für kinderreiche Familien gibt es in allen Teilen der Toskana schön gelegene Feriendörfer *(Villaggi Turistici)* mit Bungalows, Ferienhäusern, Appartements und Supermärkten (Adressen über die Reisebüros).

Agriturismo bietet preiswerte Ferien auf dem Bauernhof. Häufig sind Weinprobierstuben und ein Gasthof mit traditioneller Küche angeschlossen und Sportmöglichkeiten geboten (Zentrale der Toskana: Agriturist, Piazza San Firenze 3, Florenz, ☏ 0 55/28 78 38).

Jugendherbergen gibt es in Abetone, Arezzo, Cortona, Florenz (3), Greve in Chianti, Lucca, Marina di Massa, Montaione, Pisa, San Gimignano, Siena, Tavarnelle Val di Pesa.

Reisewege

Mit der Bahn: Direkte Züge gibt es vom Ruhrgebiet, von München, Basel und Wien täglich nach Florenz. Die Provinzhauptstädte der Toskana Massa, Pisa, Livorno und Grosseto liegen an der Hauptstrecke Mailand– Rom; Florenz und Arezzo an der zweiten wichtigen Linie Bologna–Rom. Nach Prato, Pistoia, Lucca und Siena fährt man von Florenz oder Pisa.

Fahrpreisermäßigungen: Kinder zahlen in Italien die Hälfte. Über weitere Vergünstigungen geben die DER- und CIT-Reisebüros Auskunft.

Mit dem Auto: Anschluß an das gebührenpflichtige Autobahnnetz hat man von den Grenzübergängen Brenner und Tarvisio (Österreich) sowie Chiasso (Schweiz). Zu Stoßzeiten, vor allem an Wochenenden, ist um Mailand, Bologna und Florenz mit Warteschlangen vor den Zahlstellen zu rechnen.

Mit dem Flugzeug: Direktflüge von Deutschland, Österreich und der Schweiz gibt es täglich nach Mailand. Dort steigt man nach Pisa (✈ Galileo Galilei) oder Florenz (✈ Peretola) um. Von München werden Pisa und Florenz, von Düsseldorf, Wien und Lugano nur Florenz direkt angeflogen. Für viele Strecken bieten die Fluggesellschaften ermäßigte Tarife an.

Hinweis für Autofahrer: Autofahrer sollten nichts im Wagen liegen lassen, was zum Diebstahl reizen könnte – auch nicht für kurze Zeit. Bei Verkehrsverstößen (Halteverbot, Überholverbot, Geschwindigkeitsüberschreitung u.a.) muß man mit drastischen Bußgeldern rechnen. Auf Landstraßen gilt eine generelle Geschwindigkeitsbegrenzung von 90 km/h; auf Autobahnen und Schnellstraßen liegt sie zwischen 90 und 130 km/h.

*** Florenz

Metropole der Kunst

Florenz (50 m; 387 500 Einw.), die Hauptstadt der Toskana, gehört mit Venedig und Rom zu den drei bedeutendsten Kunststädten Italiens. Nicht nur Michelangelo, sondern alle berühmten Renaissance-Künstler schufen hier einzigartige Meisterwerke, die Kirchen, Paläste und Museen in einem kaum erfaßbaren Ausmaß füllen. Selbst wer einen Monat in Florenz verbringt, hat noch längst nicht alles gesehen!

Die Stadt vereinigt Kunst und Kultur vergangener Epochen mit der Eleganz und Liebenswürdigkeit der heutigen Florentiner. Besonders im Sommer scheint jedoch der Strom von Touristen, die sich um die vielen Sehenswürdigkeiten scharen, nie abzureißen. Deshalb sollte man lieber auch einmal abseits von Dom und Piazza della Signoria durch Viertel wie San Lorenzo oder San Frediano schlendern – und den Alltag einer italienischen Großstadt entdecken, die an vielen Ecken den Charme einer Kleinstadt besitzt.

Geschichte

Die Geschichte der Stadt nimmt mit einer illustren Persönlichkeit ihren Anfang: Cäsar gründete 59 v. Chr. die Veteranenkolonie an der Via Cassia. Von ihr blieb nur die rechtwinklige Straßenanlage um das ehemalige Forum (heute Piazza della Repubblica) erhalten, die man noch gut im Stadtplan erkennt. Im frühen Mittelalter stand Florenz zunächst im Schatten der prosperierenden Orte an der Frankenstraße, erst um das Jahr 1000 gewann die Stadt in der Toskana an Gewicht. Die Verlagerung des Warenverkehrs auf die Via Cassia begünstigte ihren wirtschaftlichen Aufschwung, und erste Bauten wie das Baptisterium und San Miniato al Monte entstanden.

Die fast industriell organisierte Verarbeitung von Wolle und Seide sowie in ganz Europa verzweigte Bankgeschäfte bildeten die Grundlage für den zunehmenden Reichtum. Kaufleute und Handwerker schlossen sich in Zünften („Artes") zusammen und übernahmen die Regierung in der freien Kommune, die Ende des 13. Jhs. mit 100 000 Einwohnern zu den europäischen Großstädten zählte. Jetzt erst entstanden auch in Florenz die ersten Monumentalbauten. Die Grundsteine für den Bargello, den Palazzo Vecchio und für die großen Ordenskirchen wurden gelegt. Die einflußreichen Familien (Strozzi, Pitti) wetteiferten mit den Medici beim Bau ihrer Stadtpaläste wie auch um die Macht in der Republik. Diese oft blutigen Auseindersetzungen endeten 1434, als Cosimo de' Medici nach seiner Rückkehr aus dem Exil die faktische Alleinherrschaft als Signore (Herr) in Florenz übernahm.

Die Unterwerfung der konkurrierenden Städte im Umland, von Fiesole bis hin zu Pisa, veränderte den Charakter der florentinischen Republik. Aus dem Stadtstaat entwickelte sich ein Regionalstaat, den Kaiser Karl V. 1530 den Medici als erbliches Herzogtum überließ. Florenz verlor seine autonome Stellung und wurde in das neue Herzogtum eingebunden. Nur zwischen 1865 und 1871 trumpfte man als Hauptstadt Italiens und Sitz des Königshofes noch einmal mächtig auf.

Heute kämpfen die Florentiner vor allem mit Umweltproblemen, die nicht nur ihre Kunstschätze bedrohen (viele Skulpturen sind mittlerweile an den Fassaden durch Kopien ersetzt), sondern auch ihre Gesundheit.

Das Stadtzentrum ist inzwischen für den Individualverkehr gesperrt. Man erreicht alle Sehenswürdigkeiten jedoch problemlos zu Fuß oder per Bus.

Sehenswürdigkeiten

Blick über Florenz vom Piazzale Michelangelo aus

Florenz von oben - ein atemberaubendes Erlebnis ist der Blick vom

***Piazzale Michelangelo ❶** auf die Stadt. Bequem fährt man mit dem Bus Nr. 12 oder 13, anstrengender ist der schöne Spazierweg von der Piazza Poggi aus. Ganz Florenz liegt einem zu Füßen, das Häusermeer breitet sich bis zu den umliegenden Hügeln aus. Das silbern glänzende Band des Arno überspannen unzählige Brücken, fast magisch zieht der Ponte Vecchio die Blicke auf sich. Alles überragend erhebt sich die herrliche rote Kuppel des Doms. Ein bißchen weiter genießt man einen mindestens ebenso schönen Blick auf Florenz, direkt vor einer der ältesten Kirchen der Stadt,

In der Kirche San Miniato al Monte

****San Miniato al Monte ❷.** Sie gehört mit dem Baptisterium zu den wichtigsten Bauten der Florentiner Romanik. Die großartigen Mosaike an der Fassade und im Kircheninneren üben eine ganz eigene Faszination aus - genau wie die gregorianischen Choräle, die die Mönche zum Abendgebet in der beeindruckenden Krypta singen.

Den eigentlichen Stadtrundgang beginnt man am besten auf dem Domplatz mit dem grandiosen Dom, dem Campanile und dem Baptisterium. Das

*****Baptisterium ❸** zählt zu den vollkommensten und schönsten Gebäuden der Stadt. Selbst Dante hielt, wie viele seiner Zeitgenossen, das Taufhaus für ein antikes Kunstwerk. In Wirklichkeit entstand es jedoch im 11. Jh. Seine Ausdruckskraft liegt im perfekten Zusammenspiel von Marmordekoration und architektonischer Struktur.

Vergoldetes Bronzeportal des Baptisteriums

Die vergoldeten *Bronzeportale* des Taufhauses zählen zu den seit Jahrhunderten bewunderten Meisterwerken. Das älteste, das Südportal von 1330, stammt von *Andrea Pisano* und zeigt zwanzig Szenen aus dem Leben Johannes des Täufers, des Stadtpatrons von Florenz. Das Nordportal mit Geschichten aus dem Leben Christi, den vier Evangelisten und den vier Kirchenvätern schuf *Lorenzo Ghiberti* (1387–1455) wie auch die zehnteilige, elegante *Paradiestür* gegenüber dem Dom mit Episoden aus dem Alten Testament. Doch sollte man unbedingt auch einen Blick ins Innere werfen. Die wirklich prachtvollen Mosaiken schufen um 1270 die Meister dieser Technik, die Venezianer. Dem Taufhaus gegenüber erhob sich die Kirche Santa Reparata. Seit der Antike wurde an dieser Stelle gebaut, und römische Mosaikfußböden sowie Reste der Kirche aus dem 4. Jh. kann man noch heute unter dem

****Dom Santa Maria del Fiore ❹** besichtigen. 1296 begannen die Florentiner mit einem Neubau, da ihnen die kleine Kirche Santa Reparata als Ausdruck ihrer Führungsposition in der Toskana nicht mehr genügte. Sie wollten mit den Konkurrenzstädten Siena und Pisa gleichziehen und errichteten mit 153 m Länge und 38 m Breite eine der größten Kirchen der Welt. Man beauftragte den Dombaumeister *Arnolfo di Cambio* ausdrücklich, das „schönstmögliche“ Gebäude zu schaffen. Auch die Kuppel sollte einmalig werden. 1418 wurde eine Ausschreibung durchgeführt, die *Filippo Brunelleschi* gewann. Eigentlich glaubte damals niemand so recht, daß sich seine geniale Idee einer sich selbst tragenden Doppelschalenkonstruktion verwirklichen ließe. 1436 vollendete Brunelleschi jedoch das sich auf 107 m emporschwingende, größte architektonische Meisterwerk seiner Zeit – und es hält bis heute!

Im Vergleich zur Farbigkeit des Doms außen wirkt das dreischiffige Innere relativ schlicht. Die herrlichen Fenster, die schönen Majolikareliefs über den sehenswerten Portalen der Sakristei und die 1994 restaurierten Gemälde der Kuppel bieten jedoch noch genug an Pracht. Vor dem Gemälde Dantes (1465) im linken Seitenschiff wurden von der Republik Florenz geförderte öffentliche Lesungen seines Hauptwerkes „Die göttliche Komödie“ abgehalten. Wem die Besteigung der Domkuppel zu anstrengend ist, der sollte zumindest den etwas niedrigeren

****Campanile ❺** (Glockenturm) erklimmen. Von hier sieht man das rote Dächermeer, die unzähligen Kirchen und Paläste von einem wirklich privilegierten Standpunkt. Als neuer Dombaumeister widmete sich *Giotto* weniger dem Weiterbau der Kathedrale, sondern begann 1334 einen der schönsten Glockentürme der Welt. Von ihm stammt die Idee, eine dreifarbige Marmordekoration zu schaffen, die seine Nachfolger bis auf 84 m Höhe fortführten. Die Reliefs – die Originale sieht man im Dommuseum direkt hinter dem Dom (🕓 Mo–Sa 9–18.50 Uhr, im Winter kürzer) – zeigen ein typisches Bildprogramm der Renaissance, bei dem der Mensch ganz im Mittelpunkt steht: Mit der Erschaffung Adams beginnt seine Geschichte, mittels der „Artes minores“ (Handwerkskünste) erzielt er erste Fortschritte, die sieben Planeten beeinflussen seinen Weg, durch die sieben Tugenden, die Sieben Freien Künste und die sieben Sakramente erreicht er schließlich seine Vollkommenheit.

Die *Via dei Calzaiuoli,* heute eine der Haupteinkaufsstraßen der Stadt, verbindet das geistliche mit dem weltlichen Zentrum von Florenz. Wer beim Bummeln langsam Hunger oder Durst bekommt, sollte bedenken, daß er sich auf der Touristenmeile befindet, wo man im Sitzen doppelt soviel für sein Panino bezahlt wie im Stehen! Nur wenige Schritte links sind es in die Seitengäßchen, in eine völlig andere Welt mit kleinen Bäckereien, Obst-

und Käseverkäufern, Weinhändlern und Trattorias. Wer die Eleganz liebt, kann die Atmosphäre der

Die Kuppel des Baptisteriums

Piazza della Signoria ❻ im schicken Caffè Rivoire bei einem Cappuccino oder einer ausgezeichneten Schokolade genießen! Von seinen Lieblingskünstlern ließ Cosimo I. die Piazza schmücken: Sein *Reiterdenkmal* stammt von Giambologna (1594), der *Neptunbrunnen* von Ammannati (1575) – zusammen mit Vasari gaben sie Florenz im 16. Jh. ein neues Gesicht.

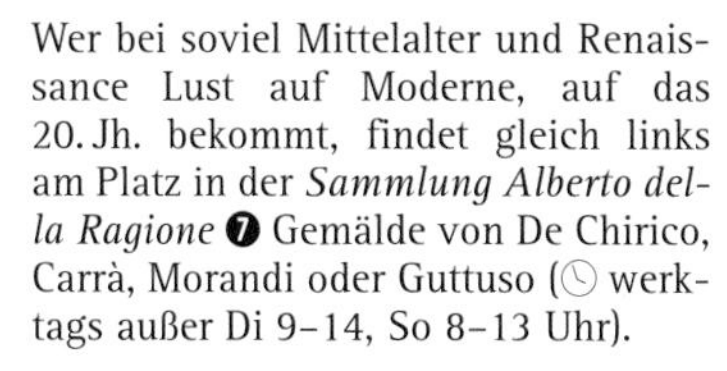

Wer bei soviel Mittelalter und Renaissance Lust auf Moderne, auf das 20. Jh. bekommt, findet gleich links am Platz in der *Sammlung Alberto della Ragione* ❼ Gemälde von De Chirico, Carrà, Morandi oder Guttuso (🕓 werktags außer Di 9–14, So 8–13 Uhr).

Palazzo Vecchio

Unübersehbar beherrscht der

***Palazzo Vecchio ❽** die Piazza. Ursprünglich errichtete der Dombaumeister Arnolfo di Cambio den Bau ab 1299 für die Prioren, die Vorsteher der Zünfte, die als Signori die Stadt regier-

Florenz am Abend

Was machen die Florentiner am Abend? Normalerweise treffen sie sich in privaten Klubs, von denen es in keiner toskanischen Stadt so viele gibt wie hier. Der diskrete Charme des Adels übertrug sich wohl auch auf die gehobenen bürgerlichen Schichten. Und sonst? – Man geht ein Bier trinken und nicht etwa ein Gläschen Wein, wie man erwarten würde: ein rotes („rossa"), ein grünes („verde") oder ein helles („chiara"). Nicht die Marke, sondern die Farbe ist beim Bier in Italien das Interessante. Beliebt sind „Kneipe" an der Piazza Beccaria oder „Il Rifrullo" (Via di San Niccolò 57 r), oder man steht einfach im Freien vor einer der Bars des Piazzale Michelangelo.

Freunde von Pianomusik sollten nicht versäumen, einen Abend auf der Piazza della Repubblica im Traditionscafé „Paszkowski" zu verbringen.

Genauso teuer, aber nicht minder schön, ist der Künstlertreff der Jahrhundertwende gegenüber, „Le Giubbe Rosse". Echte und falsche Künstler trifft man auch bis spät nachts im Jugendstilambiente des „Caffè" gegenüber vom Palazzo Pitti.

ten (daher auch der Name Palazzo della Signoria). Nach dem Vorbild des Stadtpalastes von Volterra wurde dieses Gebäude konzipiert, ist jedoch wuchtiger und scheint gar aus einem Stück gegossen. Der Zinnenkranz und der Turm vollenden den Eindruck majestätischer Schlichtheit. Im wunderschönen Innenhof, den Michelozzo 1453 im Frührenaissance-Stil umgestaltete, bekommt man schon eine Vorahnung auf die herrlichen Prunkräume des Palastes, allen voran den großartigen *Saal der Fünfhundert*. Den ehemaligen Sitzungsraum der republikanischen Regierung ließ Cosimo I. als prunkvollen Repräsentationssaal umbauen. Die prächtigen Wand- und Deckengemälde stammen von *Vasari* und Schülern. Skulpturen von *Michelangelo, Giambologna* und *Verrocchio* schmücken die Vielzahl der Räume – der Besuch des Palazzos sollte deshalb im Florenzprogramm keinesfalls fehlen (🕓 werktags außer Do 9–19, So 8–13 Uhr).

Die *Lanzichenecchi*, die hier stationierten Landsknechte, gaben der

**** Loggia dei Lanzi ❾** ihren Namen. Sie wurde von 1376 bis 1382 als repräsentative Empfangshalle der Stadt errichtet – die auswärtigen Gesandten sollten so richtig beeindruckt werden.

Nach der Eroberung Sienas 1555 benötigten die Medici eine Verwaltungszentrale zur Kontrolle der nunmehr fast die ganze Toskana umfassenden Gebiete ihres Herzogtums. Für Cosimo I. entwarf Vasari deshalb die

***** Uffizien ❿** als Amtsräume („uffici"). Sie beherbergen heute in 45 Sälen eine der bedeutendsten Gemäldesammlungen der Welt. Neben einem vollständigen Überblick über die toskanische Kunst (von *Cimabue* und *Giotto* bis *Botticelli, Leonardo da Vinci* und *Michelangelo*) besitzt sie auch großartige Werke anderer italienischer Regionen *(Raffael, Tizian, Tintoretto* oder *Caravaggio)* sowie deutscher *(Dürer, Cranach* oder *Holbein)* und niederländischer Meister *(Rubens, Rembrandt)*. (🕓 Di–Sa 8.30–18.50, So + Fei 8.30–13.50 Uhr.)

Wie ein Fenster öffnen sich die Uffizien zum Arno und geben dort den Blick frei auf die malerische, älteste Brücke von Florenz, den

**** Ponte Vecchio ⓫**. Nicht nur in den Abendstunden, wenn die untergehende Sonne sich im Fluß spiegelt, bezaubert die *Alte Brücke* aus dem Jahre 1345. Auch bei Tage übt sie einen besonderen Zauber aus: Schon Großherzog Ferdinand I. reservierte die Läden Ende des 16. Jhs. nämlich ausschließlich Gold- und Silberschmieden!

Spaziert man auf der anderen Arno-Seite weiter, erhebt sich etwas unvermittelt links der massive

**** Palazzo Pitti ⓬**, der um 1440 von Brunelleschi für die mit den Medici rivalisierende Familie Pitti entworfen wurde. 1549 zwangen die nunmehr alleinherrschenden Medici die Pitti zum Verkauf. *Ammannati*, einer der bevorzugten Künstler Cosimos I., erweiterte das Gebäude zum größten Florentiner Palazzo (Fassade 205 m lang, 38 m hoch). Die acht Museen, von den Prunkräumen der *Appartamenti Monumentali* über die berühmte *******Galleria Palatina* bis hin zum Silbermuseum, bieten hier sicher für jeden Geschmack etwas (🕓 Di–Sa 8.30 bis 18.50, So 8.30–13.50 Uhr).

Hinter dem Palast gönnt man sich in der herrlichen barocken Gartenanlage

*** Giardino di Boboli ⓭** eine Rast in einer der wenigen Grünanlagen der Stadt. Man spaziert an der *Grotte* von Buontalenti, dem *Amphitheater* und dem *Neptunbrunnen* vorbei zum hübschen Kaffeehaus, wo schon die österreichischen Großherzöge die wunderschöne Aussicht auf Florenz genossen.

Auf Schritt und Tritt sieht man Palazzi, hört von Familien wie den Pazzi und Strozzi – und fragt sich vielleicht, wie diese wohl früher gelebt haben.

1. Piazzale Michelangelo
2. San Miniato al Monte
3. Baptisterium
4. Dom Santa Maria del Fiore
5. Campanile
6. Piazza della Signoria
7. Sammlung Alberto della Ragione
8. Palazzo Vecchio
9. Loggia dei Lanzi
10. Uffizien
11. Ponte Vecchio
12. Palazzo Pitti
13. Giardino di Boboli
14. Santo Spirito
15. Palazzo Davanzati
16. Palazzo Strozzi
17. Santa Maria Novella
18. San Lorenzo
19. Cappelle Medicee
20. Markthalle
21. San Marco
22. Accademia
23. Ospedale degli Innocenti
24. Bargello
25. Santa Croce

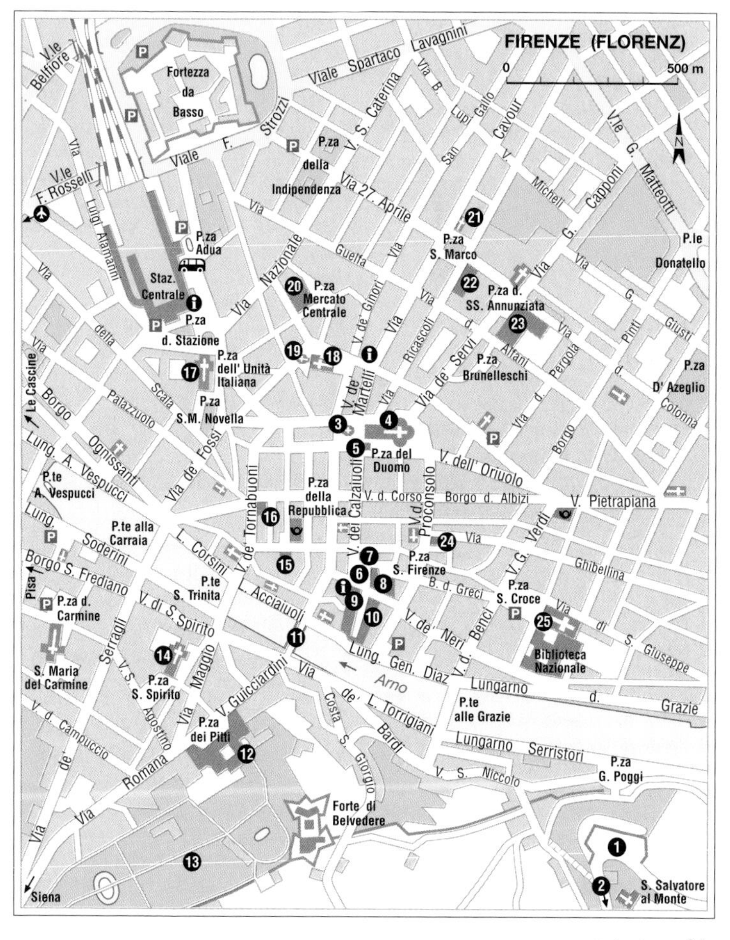

Der Besuch des **Palazzo Davanzati** ⓯ stillt die Neugier. Er bietet die einzigartige Gelegenheit, direkt vor Ort die herrlich dekorierten Wohn-, Schlaf- und Küchenräume mit ihrer originalen Ausstattung aus dem Mittelalter zu besichtigen – vom Kochtopf bis zur Toilette! (Wohl noch bis Ende '97 geschlossen.)

In der Nähe finden sich wiederum alte Palazzi, aber mit welch exquisiten Auslagen in ihren Schaufenstern! In der elegantesten Einkaufsstraße der Stadt, der *Via dei Tornabuoni*, haben sich nämlich die großen Modezaren wie Gucci oder Enrico Coveri etabliert. Der wuchtige Repräsentationsbau der Familie Strozzi, der *Palazzo Strozzi* ⓰, ist nicht zu übersehen, schon eher die noble Bar „Giacosa" auf der gegenüberliegenden Straßenseite.

Vom Palazzo spaziert man durch nette kleine Gäßchen zur weiten *Piazza Santa Maria Novella*. Dort überrascht die schöne Renaissance-Fassade der Kirche

****Santa Maria Novella ⓱**. Die Strozzi ließen sich im Inneren wie die Rucellai, die Gondi oder die Tornabuoni eine prächtige Kapelle ausmalen – das schlechte Gewissen plagte die Kaufleute, die zu Wucherzinsen Geld verliehen, und Ansehen brachte so eine Kapelle natürlich auch. Die wunderbaren Fresken der *Hauptchorkapelle* gab Giovanni Tornabuoni bei *Domenico Ghirlandaio* in Auftrag und setzte somit seiner Familie ein bleibendes Denkmal. Giovanni und seine Gattin beten an den Seiten des Fensters, die junge Frau im Goldbrokatkleid (in der Szene der Geburt Marias) ist ihre Tochter Ludovica. Das Fresko gibt zudem Auskunft über den Geschmack der Zeit, über Kleidung, Haartracht, Schuhwerk und Ausstattung der Wohnräume ... Man sieht sozusagen die Fotos des Mittelalters!

Ein Hauptwerk des 15. Jhs., das **Trinitätsfresko* von *Masaccio* (1427), sollte man im linken Seitenschiff näher betrachten. Gott nicht im blauen oder goldenen Himmel, sondern inmitten einer vollendeten Renaissance-Architektur – die absolute Neuheit dieser Darstellung konnte nur in Florenz entstehen. Dieses Bild, das auf den ersten Blick eher unscheinbar wirkt, revolutionierte durch die Einführung der Perspektive die Malerei – man denke nur an die flachen, kaum plastisch wirkenden gotischen Altarbilder mit ihrem Goldhintergrund (z. B. in der Cappella

San Frediano

Die von Brunelleschi errichtete Renaissance-Kirche *Santo Spirito* ⓮ gibt dem einladenden Platz in der Nähe des Palazzo Pitti seinen Namen. Hier spürt man die lebhafte Atmosphäre des Stadtviertels. San Frediano hat mit den kleinen Läden, den Trattorias und den vielen Handwerksbetrieben (vor allem Restaurateure) noch seinen ursprünglichen Charakter bewahrt. Bei den Brüdern Bini (Nr. 5 r) kann man zum Beispiel seit 1887 Holzkunstwerke erwerben, in der Via Maggio und der Via di Santo Spirito sieht man besonders gut bestückte Antiquitätenhändler. Hier stellen an heißen Sommerabenden die Signoras noch immer die Stühle vor die Tür, um mit der Nachbarin ein Schwätzchen zu halten.

Auch das leibliche Wohl kommt nicht zu kurz: An der Piazza bekommt man ausgezeichnete Snacks; größeren Hunger stillen die toskanischen Spezialitäten im urigen Keller „Cantinone del Gallo Nero" (Via S. Spirito 6 r).

Der Florentiner Schriftsteller Vasco Pratolini setzte in seinem Roman „Die Mädchen von Sanfrediano" den Bewohnern dieses Viertels ein Denkmal.

Strozzi im linken Querschiff zu sehen) und vergleiche sie mit Masaccio!

Noch immer kein Mitbringsel für die Lieben zu Hause gefunden? Nach original alten Rezepten zubereitete Liköre, Seifen und Parfüms findet man gleich in der Nähe, in der stilvollen Apotheke der Mönche von *Santa Maria Novella* (Via della Scala 16). Oder eine schicke Tasche, ein originelles T-Shirt vom gut bestückten Straßenmarkt im Viertel San Lorenzo? Trotz der vielen Touristen kann man hier noch so manches Schnäppchen finden.

Der „Raub der Sabinerinnen" von Giambologna in der Loggia dei Lanzi

Der unvollendet wirkenden Kirche

**** San Lorenzo ⓲** fehlt tatsächlich die sonst übliche Marmorverkleidung. Einen Blick in den harmonischen Renaissance-Raum, den Brunelleschi im Auftrag der Medici so großartig umbaute, sollte man aber unbedingt werfen. Schon die beiden Kanzeln von *Donatello* lohnen den Besuch.

Eine der besten Kunstsammlungen der Welt – die Uffizien

Beeindruckend, wie ausdrucksstark der Künstler den Christus im Auferstehungsrelief der rechten Kanzel schuf, oder wie dramatisch die Kreuzabnahme der linken Kanzel dargestellt ist.

Fast ein Muß bei einem Florenzbesuch sind die

Cappelle Medicee ⓳ (Zugang hinter der Kirche). Neben dem Repräsentationsprunk der *Fürstenkapelle* wartet in der *******Neuen Sakristei* klassische Eleganz, Kraft, Erhabenheit – Michelangelo in Vollendung. Der Medici-Papst Leo X. wollte mit dem Familienmausoleum 1520 der ganzen Stadt die Großartigkeit seiner Sippe vor Augen führen – der Beste, eben *Michelangelo*, wurde mit dem Auftrag betraut. Der Wirkung dieses Gesamtkunstwerkes, in dem Architektur und Statuen eine harmonische Einheit bilden, kann man sich nur schwer entziehen. Die beiden unbedeutenden Herzöge von Nemours und

Laden auf dem Ponte Vecchio

Urbino, der Sohn und der Enkel von Lorenzo il Magnifico, erhielten von Michelangelo die bedeutendsten Grabmäler der Renaissance – Ironie des Schicksals, Lorenzo selbst und sein Bruder Giuliano mußten sich mit der Statue *Madonna mit Kind* begnügen.

Der muskulöse „Tag" und die junge schlafende Frau der „Nacht" liegen am Grab von Giuliano von Nemours (rechts). Die kräftige „Morgenröte" scheint gerade am gegenüberliegenden Grab des Lorenzo aus dem Schlaf zu erwachen, und die „Abenddämmerung" entschlummert – eine Skulpturengruppe von bis dahin nie erreichter Ausdruckskraft. Wie sehr selbst Michelangelo vom bleibenden Wert seiner Arbeit überzeugt war, zeigt seine Antwort auf die Kritik der Zeitgenossen, das Gesicht Giulianos sei nicht naturgetreu: „In tausend Jahren merkt das keiner mehr." (🕓 Di–Sa 8.30 bis 13.50 Uhr sowie 1., 3., 5. So und 2., 4. Mo im Monat.)

Nach soviel beeindruckender Kunst bummelt man vielleicht noch ein bißchen an den Ständen entlang zur zentralen *Markthalle* ⑳ (🕓 vormittags), einer interessanten Eisenkonstruktion des 19. Jhs. Pittoresk ist hier das Angebot an Wildschweinköpfen oder noch ungerupftem Geflügel – alles garantiert frisch. Wer jetzt Appetit auf rustikale toskanische Küche bekommt, kann direkt am Markt seine Lampredotto-Semmel (gekochter Kuhdarm) bei „Nerbone" probieren. An der Rückseite der Markthallen bei „Zaza" (Nr. 26 r) oder bei „Mario" (Via Rosina 2 r) ißt man ebenfalls typisch toskanisch in urigem Ambiente! Hier im Viertel San Lorenzo mischen sich Touristenrummel und Florentiner Alltag – Hausfrauen, die vom Markt kommen, Studenten (die Uni liegt gleich nebenan), Geschäftsleute, die in einer Bar gemeinsam einen Aperitiv trinken.

Gleich in der Nähe präsentiert sich die

Kirche San Marco ㉑ heute in barocker Festlichkeit. Ganz in eine zarte Seeligkeit taucht man im ** *Museum* rechts daneben. Dem Zauber der sanften Fresken des Mönchs Fra Angelico, besonders seiner ** Verkündigung, kann man sich nur schwer entziehen (🕓 Di–Sa 8.30–13.50 Uhr sowie 2., 4. So und 1., 3., 5. Mo im Monat).

Kraftvolle Eleganz bewundert man in der

* **Accademia** ㉒, der Kunstakademie, in der sich das Original des „David" von *Michelangelo* und seine Skulpturengruppe „Prigioni" („Die Gefangenen") befinden. Obwohl sie unvollendet sind, zählen sie zu den eindrucksvollsten Werken des Künstlers (🕓 Di–Sa 8.30 bis 18.50, So 8.30–13.50 Uhr).

Ospedale degli Innocenti ㉓, Kindergarten inmitten herrlicher Renaissance-Architektur – so könnte man das Ensemble bezeichnen, das noch heute genutzt wird. *Brunelleschi* errichtete ab 1419 den prunkvollen, zugleich sehr funktionalen Bau für Findelkinder, *Andrea della Robbia* schuf die *Terracotta-Medaillons* zwischen den Arkaden. Die Architektur diente hier nicht der Selbstdarstellung eines Adeligen. Das von humanistischen Idealen geprägte soziale Engagement der Florentiner Republik, konkret hier der Arte della Seta (Seidenzunft) wollte eine angemessene Bleibe und Erziehungsstätte für Findelkinder schaffen.

Vielleicht das schönste Gebäude der Stadt ist der

** **Bargello** ㉔. Er enthält eine der bedeutendsten Skulpturensammlungen der Welt – in Florenz gibt es eben (fast) überall einen Michelangelo oder einen Donatello! Der strenge Palast wurde als erster Sitz für die kommunalen Institutionen zwischen 1255 und 1261 errichtet – im Vergleich zum Palazzo Vecchio wirkt er noch richtig bescheiden. Seine reich dekorierten Säle bilden den wunderschönen Rahmen für die einzigartigen Statuen (🕓 Di–Sa 8.30–13.50 Uhr sowie 2., 4. So und 1., 3., 5. Mo im Monat).

Lust auf ein Eis? In der Nähe der weiten Piazza Santa Croce bekommt man in der Via Isola delle Stinche das beste Eis von Florenz: bei „Vivoli“. An der Piazza wartet dann eine weitere Kirche,

Santa Croce

***** Santa Croce ㉕**. Im imposanten Inneren der Ordenskirche der Franziskaner sind über 270 Grabplatten in den Boden eingelassen, und an den Wänden ziehen sich die Gräber italienischer Größen entlang, so z. B. die Michelangelos, Dantes, Machiavellis, Rossinis oder Galileo Galileis. Wie in den anderen Bettelordenskirchen, so gaben auch hier mächtige Familien die Aufträge zur Ausschmückung der Kapellen, z. B. die Bardi oder die Peruzzi (erste und zweite Kapelle rechts vom Hauptaltar). *Giotto* malte für sie die beiden außergewöhnlichen Zyklen aus dem Leben Franz v. Assisis sowie Johannes des Täufers und des Evangelisten Johannes. Auf dem Höhepunkt seines Schaffens erzählte er um 1330 farbenfrohe und detailreiche Geschichten und überwand die byzantinische Starrheit völlig.

Die Arkaden des Ospedale degli Innocenti

Durch die wunderschöne *Sakristei* gelangt man in einen Teil des Klosters, in dem sich heute die Lederschule von Florenz befindet, und wo man gute Qualität zu einem angemessenen Preis bekommt. Rund um die Piazza Santa Croce finden sich übrigens besonders viele Geschäfte, die auf Lederartikel spezialisiert sind.

Praktische Hinweise

ⓘ APT, Via Manzoni 16, 50121 Firenze, ☎ (0 55) 2 33 20, FAX 2 34 62 85; Informationsbüros: Piazza Stazione (vor dem Bahnhof), ☎ 21 22 45; Chiasso Baroncelli 17 r (Piazza Signoria), ☎ 2 30 21 24; Via Cavour 1 r, ☎ 29 08 32; Hotelreservierungen: Consorzio Informazioni Turistiche Alberghiere, I.T.A. (im Bahnhof),

Garantiert frische Ware wird im Mercato Centrale angeboten

☏ 28 28 93; an den Autobahn-Stationen Peretola Sud und Chianti Est.
✈ Peretola (4 km).
🚆 alle nationalen und internationalen Verbindungen.
🚌 in die ganze Toskana.

Ⓗ Hotels

Torre di Bellosguardo, Via Roti Michelozzi 2, ☏ 2 29 81 45, FAX 22 90 08. Etwas außerhalb, ruhig mitten im Grünen gelegen; Hallen mit Fresken, jedes Zimmer anders eingerichtet. $$$
Loggiato dei Serviti, Piazza SS. Annunziata 3, ☏ 28 95 92, FAX 28 95 95. Zentral in Gebäude des 16. Jhs., Zimmer mit antiken Möbeln. $$$
Goldoni, Via Borgo Ognissanti 8, ☏ 28 40 80, FAX 28 25 76. Funktionales Hotel in altem Palast, zentral. $$–$$$
Splendor, Via S. Gallo 30, ☏ 48 34 27, FAX 46 12 76. Moderner Komfort in altem Palast. $$–$$$
⚠ **Viale Michelangelo,** 1.4.–31. 10, schattiger Platz unterhalb der Piazzale Michelangelo.
Villa Camerata, Viale A. Righi 2–4, am Hügel in Richtung Fiesole gelegen.

Ⓡ Restaurants

Enoteca Pinchiorri, Via Ghibellina 87. Feinschmeckerlokal in Florenz. $$$
Loggia, Piazzale Michelangelo 1. Ausgezeichnete Küche in herrlichen Räumen mit Blick auf Florenz. $$$
Mamma Gina, Borgo San Jacopo 37 r. Gehobene toskanische Küche in einem Palast des 15. Jhs. $$
Acquerello, Via Ghibellina 156 r. Küche bis spät abends. $$
Il Latini, Via Palchetti 6 r. Rustikale toskanische Küche. $
Il Cibreo, Piazza Ghiberti 35. Kleine Osteria mit Delikatessenladen. $

Veranstaltungen

- Jeden zweiten Sonntag im Monat: Antiquitätenmarkt auf der Piazza Santo Spirito.
- Ostersonntag: „Scoppio del Carro" am Domplatz (s. S. 19).
- Mai und Juni: „Maggio musicale fiorentino"; Konzerte, Ballette, Opern mit Spitzenstars der Szene.
- Juni: „Calcio Storico"; drei Spiele auf der Piazza S. Croce, eines immer am 24. Juni.
- 7. September: „Rificolona", Laternenfest.

Einkaufen

- Markt bei San Lorenzo und in den umliegenden Straßen (täglich): Jeans, T-Shirts, Wollwaren, junge Mode.
- Markt beim Park Le Cascine (dienstags): alles, vom Kochlöffel bis zu Schuhen (kein Touristenmarkt).

Tips – Tips – Tips

- Tageskarte („Biglietto turistico") für 6500 Lire für alle orangen Busse in Florenz und Fiesole (ATAF-Linien).
- Verbilligte Sammeleintrittskarte für den Palazzo Vecchio (🕒 s. S. 30), die Sammlung Ragione (🕒 s. S. 29), den Kreuzgang von Santa Maria Novella (🕒 Mo–Do u. Sa 9–14, So 8–13 Uhr) sowie die Museen Firenze com'era (🕒 Mo–Mi, Fr + Sa 9–14, So 8 bis 13 Uhr), Bardini (🕒 Mo u. Di, Do–Sa 9–14, So 8–13 Uhr), Romano (Refektorium von Santo Spirito, 🕒 Di–Sa 9–14, So 8–13 Uhr).
- Diskotheken: „Tenax", Via Pratese 45 a (Bus 29): eine der belebtesten Diskos der Stadt, oft Live-Musik; „Meccanò", Viale degli Olmi, im Parco delle Cascine. Für Jazzfreunde: „Jazz Club" (Via Nuova dè Caccini – beim Teatro Pergola).

Ausflug nach ** Fiesole

Von oben herab schaut das kleine – und wie die Einwohner betonen – viel ältere

**** Fiesole** (295 m; 15 000 Einw.) auch heute noch auf Florenz herab. Viele reiche Florentiner wohnen lieber hier oben am Hügel, im Grünen – und in der besseren Luft! Den Ausflug sollte man möglichst so legen, daß man auch den Abend in Fiesole verbringen kann. Die Aussicht auf das Lichtermeer von Florenz – und die angenehme Frische auch im Sommer – hinterlassen unvergeßliche Eindrücke. Fiesole erreicht man von Florenz mit Bus Nr. 7, der an der zentralen *Piazza Mino da Fiesole* hält.

Der Bargello enthält eine bedeutende Skulpturensammlung

Bereits in etruskischer Zeit gehörte Fiesole zu den wichtigsten Orten der Toskana; unter den Römern wurde die Stadt Zentrum der Region. Im frühen Mittelalter spürte die Stadt mehr und mehr die Dominanz von Florenz, bis sie 1125 von den Florentinern erobert wurde.

An der Piazza liegen der charakteristische *Palazzo Pretorio* und der romanische Dom San Romolo. Nur wenige Schritte weiter steht die Hauptsehenswürdigkeit, die **archäologische Zone* mit dem *römischen Theater*, den *Thermen* und dem *Tempel* sowie den mächtigen Mauern aus etruskischer Zeit (🕓 1. Di im Monat geschlossen, Sommer 9–19, Winter 9.30–16.30 Uhr).

Antiquitätenmarkt an der Piazza Santo Spirito

Ein romantischer Spaziergang führt schließlich hinauf zur Kirche *San Francesco*. Der Ausblick lohnt ebenso wie die kuriose Sammlung, die franziskanische Missionare aus aller Welt zusammentrugen und zu der auch zwei Mumien gehören (🕓 Sommer tägl. 10 bis 12, 15–18 Uhr, Winter bis 17 Uhr).

ℹ Piazza Mino da Fiesole 37, 50014 Fiesole, ☎ (0 55) 59 87 20, FAX 59 88 22.

Ⓗ **Bencistà,** Via B. da Maiano 4, ☎ FAX 5 91 63. Stilvolles Haus mit antikem Mobiliar in wunderschöner Umgebung. $$$
⚠ im Ortsteil Prato ai Pini hoch über Florenz gelegen, angenehm kühl.
Ⓡ **Il Lordo,** Via Faentina 1, Ponte alla Badia. $

Veranstaltung: Juli bis August: „Estate Fiesolana“ mit Konzerten, Opern, Filmen und Ballett.

Via de' Tornabuoni

*** Pisa

Der schiefe Turm und vieles mehr

Pisa (4 m; 95 600 Einw.) verdankt seine weltweite Berühmtheit einem einzigen Bauwerk: dem schiefen Turm. Er überragt den großartigen Domplatz, an dem mit Dom, Baptisterium und Camposanto die wichtigsten Sehenswürdigkeiten der Stadt liegen. Viele Touristen beschränken ihren Pisabesuch nur auf diesen einen Platz und glauben dann, die Stadt bestehe lediglich aus dem „Platz der Wunder", den Touristenmassen drumherum und den geschmacklosen Plastiktürmen der Andenkenhändler.

Geschichte

Seit rund einem halben Jahrtausend steht die Universität mit ihren Professoren und Studenten im Mittelpunkt des städtischen Lebens. Davor dominierten Kaufleute und Seefahrer die Geschicke Pisas. Bereits die Römer besaßen an der Arno-Mündung einen wichtigen Flottenstützpunkt. Bedeutende Siege gegen die Sarazenen und die Teilnahme am ersten Kreuzzug mit über hundert Schiffen ermöglichten die Errichtung von Handelskolonien im gesamten Mittelmeerraum, und als eine der ersten Kommunen in Italien regierte sich Pisa im 11. Jh. selbst. In dieser Blütezeit, die bis ins 13. Jh. anhielt, entstanden auch die wichtigsten Bauten. Konflikte mit den aufstrebenden papsttreuen Rivalinnen Genua, Lucca und Florenz brachten den Niedergang der kaisertreuen Stadt.

1406 gelang den Florentinern nach langer Belagerung die Eroberung Pisas. Damit endete die ruhmreiche Tradition der unabhängigen Seerepublik. Erst seit dem 16. Jh. entstand im Großherzogtum Toskana langsam das moderne Pisa mit dem neuen Motor, der Universität, an der heute fast 40 000 Studenten studieren.

Sehenswürdigkeiten

Einen Besuch der Stadt beginnt man am besten auf dem **Domplatz* ❶. Wie für die Ewigkeit geschaffen erheben sich Turm, Dom und Baptisterium aus der grünen Wiese. Die einheitliche weiße Marmorverkleidung unterstreicht die grandiose Einzigartigkeit des Platzes. Die Bürger von Pisa, und nicht ihr Bischof oder Graf, verwirklichten ihn als Ausdruck ihrer Macht und ihres Stolzes. – Als einer der ersten Monumentalbauten des Mittelalters wurde der

***** Dom** ❷ (🕓 Nov.–Feb. Mo–Sa 10 bis 12.45, So 15–16.45; März + Okt. Mo–Sa 10–17.40, So 13–16.40; April bis Sept. Mo–Sa 10–19.40, So 13 bis 17.40 Uhr) mit dem Beutegut aus dem Sieg gegen die Sarazenen von Palermo (1063) begonnen. Baumeister *Buscheto* verband eine frühchristliche Basilika (ein Langhaus mit Apsis) mit einem Querschiff: Niemals zuvor hatte es in Italien ein derartiges Gebäude, einen Sakralbau in Form eines Kreuzes, gegeben! Die Verwendung von Bögen in den Schiffen läßt das Innere wie eine riesige Moschee erscheinen. Buscheto kannte die islamische Architektur, und islamische Einflüsse spiegelt auch die reiche äußere Dekoration mit Marmorintarsien wider. Lisenen (flache Säulen) und Blendbögen (vor die Wand gelegte Arkaden) hingegen stammen aus der Romanik Norditaliens.

Die Fassade mit ihren Bögen auf Halbsäulen und den darüberliegenden Säulengalerien wurde unter Baumeister *Rainaldo* im 12. Jh. fertiggestellt. Dieser Typus, der oft noch durch rautenförmige und runde Elemente (Rhomben und Oculi) aufgelockert wird, gefiel. Man trifft ihn an vielen Sakralbauten der westlichen Toskana, wie am

Dom und an San Michele in Foro in Lucca. Daher bezeichnet man diese Fassadenform auch als *Pisanisch-Luccheser Stil.* Im Inneren steht mit der **Kanzel* von *Giovanni Pisano* aus den Jahren 1302 bis 1322 eines der Hauptwerke gotischer Bildhauerei. Ausdrucksstarke, bewegte Reliefs zeigen Szenen von der Geburt Johannes des Täufers bis zur Kreuzigung Christi und dem Jüngsten Gericht. Auf einer Achse mit dem Dom liegt das

***** Baptisterium ❸** (🕓 tägl. im Winter 9 bis 16.40, März + Okt. 9 bis 17.40, April–Sept. 8–19.40 Uhr). 1153 begann *Diotisalvi* den Bau in romanischem Stil. Die gotische Bauphase ab der Säulenloggia leitete *Niccolò Pisano,* später sein Sohn *Giovanni.* Erst in einer dritten Phase wurde im 14. Jh. die Kuppel aufgesetzt.

Vater Nicola oder Sohn Giovanni? Jeder mag selbst entscheiden, ob er die Kanzel Giovannis im Dom oder die Arbeit seines Vaters im Baptisterium vorzieht. Niccolò schuf hier 1260 mit der ersten freistehenden **Marmorkanzel* eines der bedeutendsten Kunstwerke im Ausklang der Romanik in Italien.

Wer die Reliefs mit den römischen Sarkophagen im

Camposanto ❹ (🕓 siehe Baptisterium), dem monumentalen Friedhof an der

Der weltberühmte Platz der Wunder

Im Inneren erscheint der Dom wie eine Moschee

Die Universität

Die Universität gehört zu den ältesten Italiens. Bereits im 12. Jh. beherbergte die Stadt ein *Studio,* das 1329 seine ersten festen Regeln erhielt. Nach einem fehlgeschlagenen Reformversuch unter Lorenzo il Magnifico – er wollte über die Universität mehr Einfluß in Pisa erlangen – förderte vor allem Cosimo I. die Institution. Heute zählt sie zu den größten und wichtigsten Italiens und zieht Studenten aus allen Landesteilen an. Neben der Universität trägt auch die Elitehochschule *Scuola Normale Superiore,* die Napoleon 1810 nach französischem Vorbild gründete, zum Ruf Pisas als intellektuellem Zentrum Italiens bei. Jeder dritte Einwohner hat hier einen Universitätsabschluß! Die lange Tradition Pisaner Gelehrter reicht von *Leonardo Fibonacci* (er verbreitete im 13. Jh. die arabischen Zahlen im Abendland) über *Galileo Galilei* (1564–1642) bis zum Physiknobelpreisträger *Enrico Fermi* (1901–1954), dem die erste Atomkettenreaktion gelang.

Nordseite des Platzes, vergleicht, erkennt, wo Niccolò seine Anregungen fand. Die prunkvollen *Sarkophage* fanden im Mittelalter als prestigeträchtige Grablegen Verwendung – ein „Recycling“ ganz eigener Art! Bis zur Zerstörung 1944 schmückten den Friedhof die flächenmäßig größten mittelalterlichen Wandmalereien der Welt. Die erhaltenen Teile, die Zyklen „Triumph des Todes“, „Jüngstes Gericht“ und die „Geschichten der hl. Eremiten“ kann man besichtigen.

In dem vorbildlich eingerichteten *Sinopienmuseum* ❺ (🕓 tägl. im Winter 9–12.40, 15–16.40, März + Okt. 9 bis 17.40, April–Sept. bis 19.40 Uhr) an der Südseite des Domplatzes kann man die Entstehung der großartigen Fresken verfolgen. Die *Sinopien,* Vorzeichnungen aus rotem Erdpigment, entdeckte man bei der Restaurierung der Zyklen – eine wissenschaftliche Sensation, die das zeichnerische Können der mittelalterlichen Künstler belegte.

Der schiefe Turm, der

*****Campanile** ❻, zählt wohl zu den bekanntesten Bauwerken der Welt (z.Z. geschl.). *Bonanno* begann ihn 1173. Es hätte ein schöner Glockenturm werden sollen, mehr nicht. Da neigte sich der Turm bereits während der Konstruktion – und wurde berühmt. Der geniale *Giovanni di Simone,* Baumeister des Camposanto und des Glockenturms von San Francesco, wagte nach längerer Pause 1275 den Weiterbau und korrigierte die Schieflage, indem er die höheren Stockwerke jeweils wieder ins Lot setzte. Trotzdem wurde der Turm über die Jahrhunderte immer schiefer. Als neueste Rettungsmaßnahme legte man schwarze Bleikästen als Gegengewicht zu Füßen des Turms ab. Nicht gerade ästhetisch, aber wirkungsvoll – seit 1993 ging die Neigung um 1,7 cm zurück! – Am schönsten im sehenswerten

Dommuseum ❼ sind wohl die Skulpturen: die aus dem 12. Jh. sowie die Meisterwerke von *Niccolò* und *Giovanni Pisano, Tino da Camaino* und *Nino Pisano* (🕓 tägl. im Winter 9 bis 16.20, März + Okt. 9 bis 17.20, April–Sept. 8 bis 19.20 Uhr).

Nach der Besichtigung des Domplatzes sollte man ein wenig durch die Altstadt von Pisa schlendern, um den heutigen Charakter der Stadt kennenzulernen. Von Oktober bis Juni, während des italienischen Studienjahres, prägen Studenten das Straßenbild. Nicht wie im kühlen Deutschland in Studentenkneipen, sondern draußen trifft man sie beim Plausch z. B. auf der

***Piazza dei Cavalieri** ❽, einem der schönsten Plätze der Stadt. Hier lag im Mittelalter das politische Zentrum der Republik Pisa, das Großherzog Cosimo I. – der hier im übrigen als Standbild zu bewundern ist – bewußt auslöschte: Der von ihm 1561 zur Abwehr der Piraten im Mittelmeer gegründete Ritterorden des hl. Stephan erhielt den *Palazzo della Carovana* ❾, den ehemaligen Amtssitz des Ältestenrates der Pisaner Kommune. Auf Plänen *Vasaris* beruht die 1993 restaurierte Sgraffito-Dekoration (Blumenornamente, Wappen, Profanbilder) sowie die nebenstehende Kirche *Santo Stefano dei Cavalieri* ❿ (🕓 vormittags). Im Inneren zeugen eindrucksvolle Fahnen und

❶ Domplatz
❷ Dom
❸ Baptisterium
❹ Camposanto
❺ Sinopienmuseum
❻ Campanile
❼ Dommuseum
❽ Piazza dei Cavalieri
❾ Palazzo della Carovana
❿ Santo Stefano dei Cavalieri
⓫ Piazza dei Martiri della Libertà
⓬ Santa Caterina
⓭ Università
⓮ Piazza delle Vettovaglie
⓯ Ponte di Mezzo
⓰ Palazzo Agostini
⓱ Cittadella

Schiffsteile von den Seesiegen der Ritter gegen die Türken.

Schatten und Grün, das bietet ein Abstecher zur einladenden, baumumstandenen *Piazza dei Martiri della Libertà* ⓫. Liebespaare, Studenten, alte Männer – alle streben hier zu den heißbegehrten Marmorbänken; weniger Aufmerksamkeit zieht die wunderschöne Marmorfassade der Kirche *Santa Caterina* ⓬ (1251–1300) auf sich!

Nur wenige Schritte geht man von der Piazza dei Cavalieri zur *Universität* ⓭. Für eine kleine Pause eignen sich die

Der schiefe Turm von Pisa

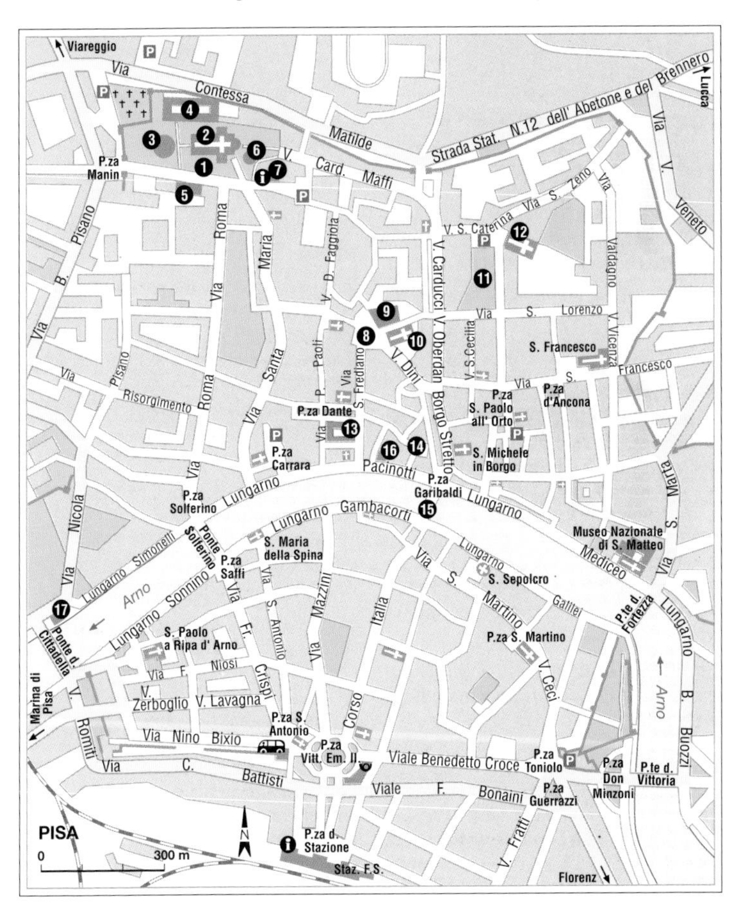

Bars rund um die Universität. Sie werden hauptsächlich von Studenten besucht und besitzen daher ein relativ preisgünstiges Angebot an Imbissen (Panini, Pizze, Snacks). Foccacce mit gekochtem Schinken und Olivencreme im „Barbablù" genießen, oder sich draußen vor der „Sapienza" bei einem Caffè freddo, einem kalten Kaffee, erfrischen (beide Via S. Frediano) – Pisaner Studenten lassen es sich gut gehen. Selbstversorger finden in dem noch mittelalterlich geprägten Viertel um die *Piazza delle Vettovaglie* ⓮ eine Vielzahl von Ständen und kleinen Läden. Die pittoreske Atmosphäre unterstreicht der hübsche Portikus, und immer wieder hört man die Händler aus vollem Halse gerade ihre besonders frischen Waren anpreisen ... Im Gegensatz zum Marktplatz bietet der *Borgo Stretto* Ruhe: eine elegante Ladenstraße, in der die Cafés unter den Laubengängen zum Verweilen einladen. Seit 1109 ist die Brücke, *Ponte di Mezzo* ⓯, dokumentiert, auf der alljährlich am letzten Junisonntag das Brückenspiel (s. S. 18) stattfindet. Auf der gegenüberliegenden Arno-Seite wartet der *Corso Italia,* die Haupteinkaufs- und Bummelmeile, auf Neugierige.

Der einzige erhaltene Backsteinpalast Pisas, der *Palazzo Agostini* ⓰, ist nicht nur aufgrund seiner reichen Terracotta-Dekoration aus dem 15. Jh. bedeutend. Er beherbergt das berühmteste Café Pisas, das „Caffè dell'Ussero". Die Männer an der Wand zählten zu den Revoluzzern, die sich während des Risorgimento, der Bewegung für die Einheit Italiens im 19. Jh., hier versammelten.

Am Abend, wenn die Sonne im Westen hinter dem Festungsturm *Cittadella* ⓱ untergeht, ahnt man in der Ferne das Meer, und wenn dann noch eine salzige Prise herüberweht, die roten, gelben und ockerfarbenen Palazzi sich im Arno spiegeln und die dunklen Berge des Monte Pisano im Hintergrund wachen, merkt man, daß Pisa viel mehr ist als nur der schiefe Turm!

Praktische Hinweise

🛈 APT Via Benedetto Croce 26, 56100 Pisa, ☎ (0 50) 4 00 96, Fax 4 09 03; Informationsbüros: Piazza della Stazione (Bahnhof), ☎ 4 22 91, am Flughafen G. Galilei und an der Piazza del Duomo, ☎ 56 04 64.

✈ Galileo Galilei (1 km).
🚆 alle nationalen Verbindungen.
🚌 in die Umgebung.

🏨 **Grand Hotel Duomo,** Via S. Maria 94, ☎ 56 18 94, Fax 56 04 18. Moderner Komfort in der Nähe des Turms. $$
Royal-Victoria, Lungarno Pacinotti 12, ☎ 94 01 11, Fax 94 01 80. Schönes altes Hotel direkt am Arno. $$
Verdi, Piazza della Repubblica 5, ☎ 59 89 47, Fax 59 89 47. Angenehm wohnen mitten im Zentrum. $$
Di Stefano, Via Sant'Apollonia 35, ☎ 55 35 59, Fax 55 60 38. Zentral hinter der Piazza Cavalieri gelegen. $

⛺ **Torre Pendente,** Viale delle Cascine 86, 1 km außerhalb, 🕓 15.3.–15.10.

🍴 **Osteria dei Cavalieri,** Via San Frediano 16. Toskanische Küche mit Phantasie. $$
Bruno, Via Luigi Bianchi 12. Pisanische Küche wie Stockfisch mit Kichererbsen oder Getreidesuppe. $$
La Cereria, Via Gori 33. Restaurant mit Pizzeria im schönen Innenhof. $

Veranstaltungen: Jeden Mittwoch und Samstag: großer Markt in der Via S. Francesco. Jedes zweite Wochenende im Monat (nicht im Juli/Aug.): Antiquitätenmarkt am Ponte di Mezzo.

Tips: Verbilligte Sammeleintrittskarte für Dom, Baptisterium, Camposanto sowie Dom- und Sinopienmuseum.

Ausflüge in die Romanik

Rund um Pisa kann man hübsche kleine Ortschaften anfahren und dabei wunderschöne romanische Landkirchen aus dem 11. und 12. Jh. besichtigen. Nur im einst von Pisa beherrschten Umland behielten diese Kirchen ihr ursprüngliches Aussehen, denn aufgrund des wirtschaftlichen Niederganges (Niederlage gegen Genua, Eroberung durch Florenz) fehlten die Mittel zu einem Umbau!

Seit 1109 überspannt der Ponte di Mezzo den Arno

Man verläßt Pisa auf der Straße Nr. 67 Richtung Florenz und biegt nach *San Casciano* zur gut ausgeschilderten *Pieve* (Taufkirche) ab, an der man die wunderschönen Reliefs von *Beduino* (um 1180) mit naturgetreuen Tierdarstellungen bewundert. In

Cascina (8 m; 37 000 Einw.) kann man zunächst unter den Laubengängen des Ortes flanieren, bevor man die typisch pisanische Fassade der *Pieve Santa Maria* aus dem 12. Jh. besucht.

Vicopisano (12 m; 7700 Einw.) bezaubert durch sein geschlossenes mittelalterliches Stadtbild, dem sieben Türme ein wehrhaftes Antlitz verleihen, das durch die Festung an der höchsten Stelle des Hügels noch verstärkt wird.

Am Ortsende liegt die beeindruckende *Pieve SS. Maria e Giovanni*, die bereits im 10. Jh. dokumentiert ist. Das dreischiffige Innere wirkt eher streng und schlicht, überrascht jedoch mit herausragenden Kunstwerken: Die *Kreuzabnahme* in der Apsis, eine Holzplastik des 11. Jhs., fasziniert durch ihre einfachen Linien – mittelalterliche Frömmigkeit pur.

Über die kurvenreiche, landschaftlich schöne Strecke durch die Pisaner Berge geht es über *Buti* nach

Calci (40 m; 5600 Einw.). Dort steht mit San Ermolao eine der schönsten Taufkirchen. Das bemerkenswerteste Kunstwerk ist das *Taufbecken*, das aus einem einzigen Marmorblock von Künstlern um *Beduino* geformt wurde. An der Schmuckseite sieht man Jesus mit einer Tunica bekleidet im Jordan, Johannes den Täufer in der Taufgeste und zwei Engel, die die Kleider Christi halten.

Das Städtchen Vicopisano

Romanik pur

Eine der bedeutendsten romanischen Kirchen der Toskana befindet sich in **San Piero a Grado** (von Pisa über die Platanenallee Richtung Marina di Pisa). Wer die Basilika betritt, braucht Zeit, um die beeindruckende Architektur voll aufzunehmen: die antiken Säulen, die prächtigen Freskenzyklen. Einst lag hier das Meerufer, und der Apostel Petrus soll an dieser Stelle zum erstenmal italienischen Boden berührt haben. Seine Lebensgeschichte stellen die Szenen über den Papstbildnissen dar – es handelt sich um einen der größten erhaltenen Petrus-Zyklen schlechthin.

** Siena

Die schönste Piazza der Welt

Siena (322 m; 55 500 Einw.) und der *Campo*, wie die Einwohner die Piazza del Campo schlicht nennen, gehören zusammen wie Pisa und der schiefe Turm. Man setzt sich am besten in ein Café oder einfach auf den Boden am Rand und läßt den Campo auf sich wirken. Der muschelförmige Platz repräsentiert den Stolz der Bewohner, hier schlägt das Herz der Stadt, nicht nur beim Palio, dem historischen Pferderennen.

Geschichte

Der Palio delle Contrade (s. S. 18) erinnert die Sienesen an ihre große Zeit, als die Stadt sich als freie Kommune noch selbst regierte und auf den Vierteln die militärische Organisation beruhte.

Seine wirtschaftliche Entwicklung verdankt der Ort seiner günstigen Lage an der Frankenstraße. Der Aufschwung im Handel erlaubte die Errichtung der einzigartigen gotischen Bauwerke, die noch heute das Stadtbild prägen. Die Expansionspolitik, die zur Unterwerfung des Umlandes führte, ließ die ghibellinische Stadt schließlich auf das guelfische Florenz treffen. 1260 siegten die Sienesen bei Montaperti, aber aufgrund des wirtschaftlichen Niederganges und der Pest von 1348 verlor Siena dann zunehmend an Bedeutung. Nach einer letzten Blüte in der Renaissance, gefördert durch die Familie Piccolomini, setzte Kaiser Karl V. 1555 nach monatelanger Belagerung, die Herzog Cosimo I. finanzierte, der Selbständigkeit des kleinen Stadtstaates ein Ende.

Sehenswürdigkeiten

Unser Rundgang beginnt an der

***** Piazza del Campo** ❶. Die Geschlossenheit des Ensembles nimmt einen sofort gefangen. Bereits im 13. Jh. plante die Sieneser Regierung den Platz so, wie er heute noch aussieht. Die Kommune erließ 1297 auch für Privatpaläste genaue Bauvorschriften, um die Harmonie der Piazza zu erhalten. – An der am tiefsten gelegenen Stelle wurde von 1297 bis 1342 der

**** Palazzo Pubblico** ❷ errichtet. Das zinnengekrönte Rathaus schließt den Campo auf geniale Weise ab. Wie fast alle Palazzi Sienas weist es im Obergeschoß aus Backstein die typischen Sieneser Fenster auf: Drei gotische Bögen (Triforen) werden von einem weiteren spitzen Bogen eingefaßt – gut zu erkennen auch am *Palazzo Sansedoni* ❸. Der Aufgang zur *Torre del Mangia* ❹, die wie ein mittelalterlicher Geschlechterturm mit 102 m Höhe den Stolz der Bauherrn der Sienesischen Republik verkörpert, liegt im Inneren des Palazzo Pubblico, wo sich auch der Zugang zum *Museo Civico* befindet (🕓 Turm: Nov.–Feb. 10–15.30 Uhr, sonst 10 Uhr bis Sonnenuntergang; Museum: Mai–Aug. 9–19; März, April, Sept., Okt. 9.30–18; Nov.–Feb. So 9.30 bis 13.30 Uhr).

Einen Blick sollte man hier unbedingt auf die 1994 restaurierte ******Maestà* von *Simone Martini* werfen – wie auch auf den ersten nicht religiösen Freskenzyklus „Die gute und schlechte Regierung" von *Ambrogio Lorenzetti*, eine der wenigen erhaltenen Formen politischer Propaganda des Mittelalters. Bis ins kleinste Detail wurde hier den Einwohnern vor Augen geführt, welch negative Auswirkungen eine Tyrannei haben kann und wie positiv sich doch die auftraggebende Neunerregierung für Stadt und Umland erweist ...

An der *Croce di Travaglio* ❺ treffen die drei belebtesten Flanierstraßen Sienas, die Via Banchi di Sopra, die Via Banchi di Sotto und die Via di Città zusammen. Hier findet jeden Abend der „corso“ statt: Man spaziert die Straßen entlang, sehen und – vor allem – gesehen werden lautet die Devise. Fast größenwahnsinnig mutet das Projekt des

***Neuen Doms** an. 1339 begonnen, sollte er den alten Dom als Querschiff (!) in sich aufnehmen. Dieses gigantische Unterfangen war in Konkurrenz zum Florentiner Dom geplant, mußte jedoch aufgrund der verheerenden Auswirkungen der Pest von 1348 aufgegeben werden. Heute beherber-

1. Piazza del Campo
2. Palazzo Pubblico
3. Palazzo Sansedoni
4. Torre del Mangia
5. Croce di Travaglio
6. Dombaumuseum
7. Dom
8. San Giovanni
9. Santuario Cateriniano
10. San Domenico
11. Santa Barbara
12. Palazzo Salimbeni
13. Palazzo Buonsignori

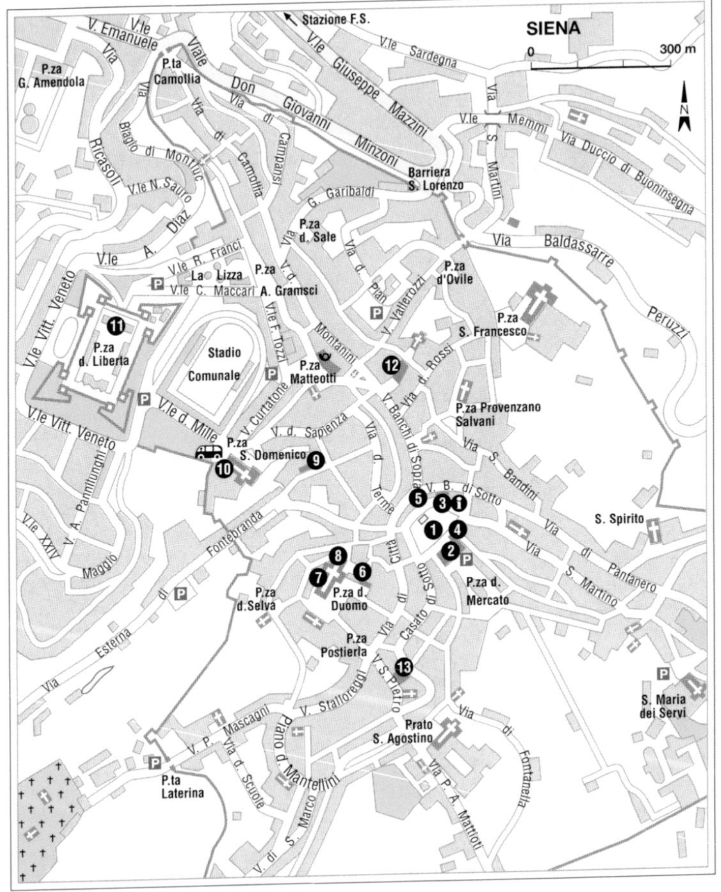

gen die drei fertiggestellten Seitenschiffjoche ein sehenswertes **Dombaumuseum* ❻. Allein Duccios Maestà oder die Aussichtsterrasse lohnen schon den Besuch (🕓 tägl. Nov.–Mitte März 9–13.30, sonst 9–19.30, Okt. 9 bis 18.30 Uhr). Der Grundstein zum

***** Dom ❼** wurde Ende des 12. Jhs. gelegt; Mitte des 14. Jhs. war er fertiggestellt, nachdem man das grandiose Projekt des neuen Doms hatte aufgeben müssen. Die von *Giovanni Pisano* 1284 begonnene, reich mit Skulpturen dekorierte Fassade verwirklichte als erste in Italien – entsprechend den Idealen der französischen Gotik – ein einheitliches Bildprogramm. Selbst der Fußboden verdient in dieser fast schon mit Kunstwerken überreichen Kirche besondere Aufmerksamkeit: An den 56 „Gemälden" wurde mehr als hundert Jahre, nämlich bis Mitte des 16. Jhs., gearbeitet. Die von *Niccolò Pisano* und seiner Werkstatt 1266 –1268 errichtete achteckige **Marmorkanzel* stellt einen Höhepunkt der gotischen Skulptur in Italien dar.

Ein prächtiger Freskenzyklus von *Pinturicchio* erwartet den Besucher in einem der schönsten Renaissance-Räume überhaupt, der ***Libreria Piccolomini* (Zugang im linken Seitenschiff). Die Fresken zeigen Szenen aus dem Leben des Piccolomini-Papstes Pius II.

Zwei neue Museen stillen direkt beim Dom den Wissensdurst von archäologisch Interessierten und geben Einblick in die Welt eines mittelalterlichen Pilger- und Krankenhospizes: *Museo Archeologico Nazionale* (🕓 tägl. 9–14, So + Fei 9–13 Uhr, 2. + 4. So im Monat geschlossen); *Spedale Santa Maria della Scala* (🕓 Nov.–März 10.30 bis 16.30, Sept. bis April + Sa/So 10.30 bis 17.30, Sommer bis 18 Uhr).

Als man noch an den Domneubau glaubte, wurde 1316–1325 zur Abstützung eine Unterkirche, die

*** Taufkirche San Giovanni ❽**, errichtet. Das Meisterwerk *Jacopo della Quercias*, das *Taufbecken*, an dessen Szenen aus dem Leben Johannes des Täufers noch weitere außerordentliche Künstler mitwirkten *(Donatello, Lorenzo Ghiberti)*, lohnt schon den Besuch des prächtigen Baptisteriums. – Der hl. Katharina von Siena ist der

Santuario Cateriniano ❾ (🕓 tägl. 9 bis 12.30, 15–17.30, Sommer ab 14.30 Uhr) gewidmet – im Sommer eine gut vermarktete Touristenattraktion. Der Santuario entstand um das Wohnhaus der Caterina Benincasa (1347–1380). Im 15. Jh. von Pius II. heiliggesprochen, wurde sie 1939 zur Schutzpatronin Italiens erhoben. In der Nähe, in der gotischen Kirche *San Domenico* ❿, liegt ihr Haupt in einem Reliquienbehälter in der *Kapelle der hl. Katharina*, die herrliche Fresken Sodomas zieren. – Von hier kann man zur

Festung Santa Barbara ⓫ weiterspazieren, die 1560 von Cosimo I. nach der Eroberung der Stadt errichtet wurde. Nicht nur der hübsche Park, sondern vor allem die „Enoteca Italiana", in der man Spitzenweine aus ganz Italien kosten (und kaufen) kann, erwarten den Besucher (🕓 tägl. 12–1, Mo bis 20 Uhr, So geschlossen).

Zu den harmonischsten Plätzen der Stadt zählt die *Piazza Salimbeni* mit ihren imposanten Palästen. Der *Palazzo Salimbeni* ⓬ in der Mitte erlangte als Sitz des „Monte dei Paschi" Berühmtheit, dem 1624 gegründeten ältesten Bankhaus der Welt. Auf Höhe der Piazza befindet sich noch eine weitere Sieneser Institution: „Nannini". Die stuckgeschmückte Bar des Vaters der Rocksängerin Gianna sowie die zugehörige Eisdiele zählen zu den beliebtesten Treffpunkten der Stadt. – Interesse an sanft und selig vor sich hin lächelnden Madonnen? Nirgends sieht man so viele auf einmal wie im

Palazzo Buonsignori ⓭. Die ***Pinacoteca Nazionale* dokumentiert lückenlos die Sieneser Malerei vom 12. bis ins 17. Jh. (🕓 Di–Sa 9–19, Mo 8.30 bis 13.30, So + Fei 8–13 Uhr).

Von der *Piazza di Postierla* gelangt man über die Via di Città zurück zum Campo. Liebhaber von Süßigkeiten, aber auch Freunde alter Geschäfte, werfen einen Blick in die „Antica Drogheria Manganelli" (Nr. 73). Seit 1879 erhält man hier die bekannteste Spezialität Sienas - *Panforte,* eine trockene Torte mit Mandeln, kandierten Früchten und Gewürzen.

Der schönste Platz der Welt – der Campo

Praktische Hinweise

🛈 APT, Via di Città 43, 53100 Siena, ☎ (05 77) 4 22 09, Fax 28 10 41; Büro: Piazza del Campo 56, ☎ 28 05 51, Fax 27 06 76; Hotelreservierungen: Siena Hotels Promotion, Piazza San Domenico, ☎ 28 80 84, Fax 28 02 90.

Zug über Empoli nach Florenz und Pisa, nach Chiusi und Grosseto.
Bus in die Umgebung (Florenz).

(H) **Hotel Certosa di Maggiano,** Via Certosa 82, ☎ 28 81 80, Fax 28 81 89. Außerhalb gelegen, ältestes, herrlich restauriertes Kartäuserkloster der Toskana von 1314 mit Restaurant. ($$$)
Chiusarelli, Via Curtatone 15, ☎ 28 05 62, Fax 27 11 77. Zentral gelegen mit schöner Terrasse. ($$)

⛺ Strada di Scacciapensieri 47, Mitte März–Mitte Nov., schattiger städtischer Platz, preiswert.

(R) **Osteria Le Logge,** Via del Porrione 33. Hervorragende Sieneser Küche in einem ehemaligen Lebensmittelladen des letzten Jahrhunderts. ($$)
Papei, Piazza del Mercato 6. Typische Trattoria mit guter Hausmannskost. ($)

Veranstaltungen: Jeden Mittwoch: Markt am Platz La Lizza. Mitte bis Ende August: Sieneser Musikwochen mit Konzerten und Sommerkursen.

Tips: Verbilligte Sammeleintrittskarte für Libreria Piccolomini, Oratorio San Bernardino, Baptisterium und Dombaumuseum.

Der Dom, dessen Bau die Stadt fast völlig ruinierte

Ausflug: *San Galgano

Ein Ausflug zu einer halbzerstörten Kirche über eine landschaftlich zwar schöne, aber kurvenreiche Straße – ob sich das wohl lohnt? Und ob! Der Faszination, die von dem einsam im Grünen stehenden, einst mächtigsten Kloster dieser Gegend ausgeht, kann man sich nur schwer entziehen. Der reich verzierte Zisterzienserbau, von 1224 bis 1288 unter dem Einfluß französischer Gotik errichtet, begann bereits im 16. Jh. zu verfallen. Heute ragen die gotischen Strebepfeiler in den blauen Himmel, eine grüne Wiese bildet den Fußboden – eine einmalige Atmosphäre von Ruhe und Stille, so recht zum Meditieren.

** Lucca

Puccinis heitere Stadt

Lucca (17 m; 86 000 Einw.) ist wohl die einzige Stadt der Toskana, die auch heute noch den Besucher mit ihrem über Jahrhunderte gewachsenen, feinen Bürgersinn empfängt. Lucca bietet dem Touristen nicht nur Kunst und Bauwerke vergangener Epochen, sondern auch angenehme Cafés und gar nicht so teure Geschäfte mit freundlicher Bedienung.

Geschichte

Der Name Luccas weist auf die frühe Besiedlung der sumpfigen (etruskisch „luk") Ebene zwischen den Bergen des Apennins und dem Monte Pisano hin. Von der römischen Kolonie Lucca blieben kaum Reste. Unter den Langobarden wurde Lucca Sitz eines Herzogs und Hauptstadt der *Tuscia* (Toskana).

Schon früh, bereits Ende des 11. Jhs., entwickelte sich eine freie Kommune. Auseinandersetzungen mit Pisa und Florenz gefährdeten den kleinen Stadtstaat immer wieder, doch konnte Lucca sich halten. Bis ins Zeitalter Napoleons regierte man sich selbst. Erst 1847 wurde die Stadt als letzte der großen Rivalinnen von Florenz dem Großherzogtum Toskana eingegliedert.

Sehenswürdigkeiten

Den Stadtrundgang beginnt man gleich mit einem Juwel Luccas, dem

****Dom San Martino ❶** mit seiner überaus reich gegliederten romanischen Fassade. Die Vielfalt der Säulen und Verzierungen der drei oberen Galerien beweist die Phantasie ihres Baumeisters *Guidetto da Como* (1204). Die herrlichen **Reliefs* an den Portalen, die Szenen aus dem Leben des hl. Martin darstellen, sowie die zwölf Monatsbilder führten lombardische Bildhauer aus. Der plastische Schmuck am linken Portal stammt von *Niccolò Pisano*.

Selbst ein *Tintoretto* wartet im Inneren (3. Altar rechts: „Abendmahl"). Viel zu früh starb 1405 die junge, schöne Gattin des Stadtherrn Paolo Guinigi. *Jacopo della Quercia* gestaltete das Grabmal der **Ilaria del Carretto* und schuf eines der Hauptwerke der italienischen Bildhauerei. Die Gestalt der Ilaria wirkt mit dem ungemein zarten Gesichtsausdruck noch gotisch, der Sarkophag mit Anklängen an römischen Grabschmuck bereits renaissancehaft. Das *Tempelchen* im linken Seitenschiff beherbergt den *Volto Santo,* das „heiliges Antlitz" genannte Holzkreuz. Der Legende nach halfen Engel dem Künstler beim Schnitzen des Gesichtes Christi. Auf wunderbare Weise gelangte es übers Mittelmeer an den Strand von Luni, von wo es nach Lucca in die Kirche San Frediano gebracht wurde. Zur Erinnerung an die Überführung aus San Frediano in den Dom wird am 13. September das Kreuz, das im Mittelalter die Funktion eines Stadtheiligen besaß, in einer romantischen Lichterprozession durch die Stadt getragen. Die ganz aus Juwelen und Gold gearbeitete „Bekleidung", die dem Volto Santo am Festtag angezogen wird, sieht man im *Museo della Cattedrale* ❷ (🕓 tägl. 10–18 Uhr, im Winter werkt. nur vorm., verbilligtes Sammelticket mit Ilaria und Santa Reparata). – Nur wenige Schritte weiter erhebt sich die einstige Hauptkirche Luccas,

***Santa Reparata ❸** mit dem gotischen *Taufhaus San Giovanni*. Tausend Jahre Baugeschichte auf einmal! Anhand der *Ausgrabungen* unter der Kirche kann man alle Phasen klar nachvollziehen – vom ersten römischen Haus aus dem 1. Jh. v. Chr., über die Thermen im 2. Jh. n. Chr., bis zur frühchristlichen Basilika aus dem 4./5. Jh.

mit ihrer Krypta vom Ende des 8. Jhs. Die Baustelle, in die sich der Ort für den Umbau zur romanischen Kirche im 12. Jh. verwandelte, blieb – einzigartig – mit ihrer Ziegelbrennstelle und der Gießerei unter dem Fußboden des Hauptschiffes erhalten. Römische Mosaikreste, langobardische Gräber und hochmittelalterliche Inschriften verleihen dem Ambiente seinen Reiz (🕓 wie Museo della Cattedrale).

Über die weite *Piazza Napoleone* ❹ erreicht man das ehemalige römische Forum, das zum Verweilen einlädt. Am besten bei einem Cappuccino an der Ecke, bevor man sich der Kirche

*** San Michele in Foro** ❺ zuwendet. Ihr gilt der ganze Stolz der Luccheser! Die Schaufassade des 13. Jhs. beeindruckt durch die Vielfalt ihrer Säulen und die dazwischen gelegten Marmorbänder.

Wer nun ein bißchen bummeln möchte, ist hier gerade richtig. Die *Via Fillungo,* die Hauptstraße Luccas, lädt mit ihren vielen schönen Geschäften (auch in den Seitengäßchen) dazu ein. Gut

Die phantasievoll verzierten Säulen an der Fassade des Doms

❶ Dom San Martino
❷ Museo della Cattedrale
❸ Santa Reparata
❹ Piazza Napoleone
❺ San Michele in Foro
❻ Uhrturm
❼ Guinigi-Turm
❽ Guinigi-Palast
❾ Piazza Anfiteatro
❿ San Frediano

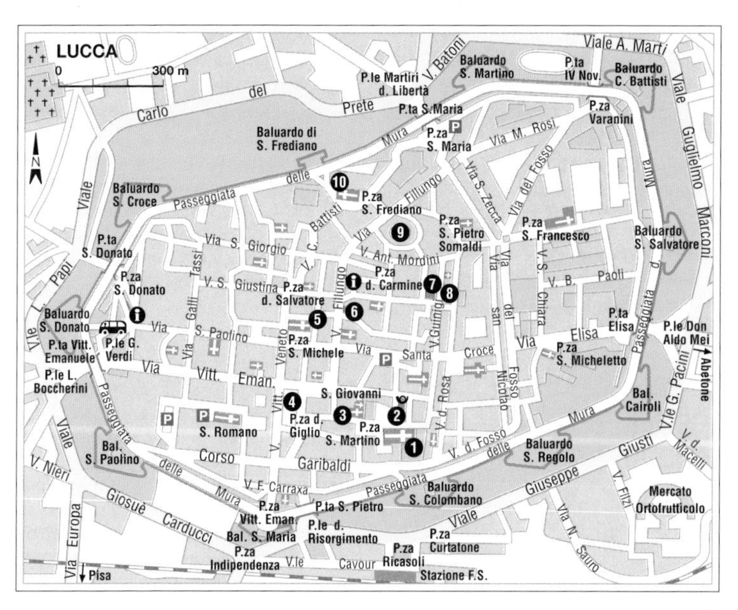

erhaltene mittelalterliche Gebäude und der nicht zu verfehlende *Uhrturm* ❻ aus dem 13. Jh. wetteifern hier mit den Auslagen der Schaufenster um die Gunst des Betrachters. Die Mühe des Aufstiegs auf den

Guinigi-Turm ❼ belohnt ein wirklich traumhafter Ausblick über die ganze Stadt und die sie umgebenden Hügel (🕓 Nov.–Febr. 10–16.30, März–Sept. 9–19.30, Okt. 10–18 Uhr). Der Turm gehört zum nebenstehenden *Palazzo der Familie Guinigi* aus dem 14. Jh.

Ein weiterer wunderschöner *Guinigi-Palast* ❽ mit dem bunten Familienwappen steht gleich um die Ecke.

Wieder in der Via Fillungo bietet sich eine Pause bei „Di Simo" (Nr. 58) an. Das hübsche Künstlercafé wurde schon von dem in Lucca geborenen Puccini gern besucht. – Der spektakulärste, der schönste Platz in Lucca ist die

Piazza Anfiteatro ❾. Sie zeichnet genau das Oval des Theaters aus dem 2. Jh. nach. An der äußeren Nordseite kann man noch einige der mächtigen römischen Quadersteine sehen. Am besten läßt man bei einem Cappuccino oder Campari die Atmosphäre der Piazza auf sich wirken. – Schon beim Näherkommen beeindruckt das *Himmelfahrtsmosaik* der Fassade von

****San Frediano** ❿. Im dreischiffigen Inneren mit offenem Dachstuhl bewundert man gleich rechts das reich mit Reliefs verzierte *Taufbecken* aus der Mitte des 12. Jhs. Dargestellt sind Szenen aus dem Leben Moses (unten) sowie die Symbole der Monate und die zwölf Apostel (oben). Hausfrauen bzw. -männer können in der zweiten Seitenkapelle rechts ihre Schutzpatronin, die *hl. Zita* (gest. im 12. Jh.), besuchen. Heute wirkt die auf wunderbare Weise vor der Verwesung verschont gebliebene Heilige doch etwas makaber ...

Den Besuch Luccas schließt man am besten mit einem Spaziergang auf der Stadtmauer ab und genießt noch einmal die herrlichen Ausblicke.

Praktische Hinweise

ℹ APT, Piazza Guidiccioni 2, 55100 Lucca, ☎ (05 83) 49 12 05, FAX 49 07 66; Informationsbüro: Vecchia Porta San Donato, Piazzale Verdi, ☎ FAX 41 96 89.
🚆 nach Pisa, Florenz und in die Garfagnana.
🚌 in die Umgebung.

Ⓗ **Villa La Principessa,** Strada Statale del Brennero 1616, Massa Pisana, ☎ 37 00 37, FAX 37 91 36. Elegantes Hotel in der ehemaligen Residenz von Castruccio Castracani (14. Jh.). $$
Piccolo Hotel Puccini, Via di Poggio 9, ☎ 5 54 21, FAX 5 34 87. Gepflegtes Hotel mitten im Stadtzentrum. $
La Luna, Corte Compagni 12, ☎ 49 36 34, FAX 49 00 21. Romantischer Familienbetrieb mitten im Zentrum. $–$$

Ⓡ **Buca di Sant'Antonio,** Via della Cervia 1/3. Ausgezeichnete Küche. $
Antico Caffè delle Mura, Piazzale Vittorio Emanuele 2. Historisches Café auf der Stadtmauer. $
Da Giulio, Via Dell Conce 47. Mit der typischen Küche der Westtoskana. $

Veranstaltungen: Jedes dritte Wochenende im Monat: Antiquitätenmarkt vor dem Dom sowie Künstlermarkt an der Piazza dell'Arancio. Am jeweils letzten Wochenende im Monat: Kunsthandwerksmarkt auf der Piazza San Giusto. September: „Settembre Lucchese", Wein- und Olivenölmarkt auf der Piazza San Michele in Foro mit Kulturveranstaltungen.

Ausflüge: Toskanische Villen

Villen gehören zur toskanischen Landschaft wie einsame Bauernhäuser oder Reihen von Zypressen. Ursprünglich als Verwaltungszentren für die landwirtschaftlichen Betriebe angelegt, in die Luccheser Kaufleute ihren Gewinn investierten, wurden sie seit dem 16. Jh. zur Sommerfrische prunkvoll ausgebaut. Man verläßt Lucca auf der SS Nr. 12 Richtung Abetone und biegt nach *Marlia* zur

Villa Reale ab. Große Teile des prächtigen Barockgartens blieben hier bestehen. Das aus Buchsbaumhecken 1652 „gebaute" *Freilichttheater* zählt zu den schönsten in ganz Italien. Man meint, die Commedia dell'Arte mitten in einer Aufführung zu sehen ... (🕓 Gartenführungen März–Nov. tägl. Di–So 10, 11, 15, 16, 17, 18 Uhr, Juli nur So, Di, Do, Dez.–Febr. nur auf Anfrage ☎ 05 83/3 00 09).

Durch eine bereits relativ verbaute Landschaft fährt man weiter nach *Segromigno* zur

Villa Mansi. Hier beeindruckt weniger der Garten als die Villa selbst, ganz im barocken Stil gehalten. Der ursprünglich einfache rechteckige Bau erhielt 1634 den auffallenden *Portikus* mit den beiden Treppenaufgängen. Im Inneren sind besonders die *Groteskenmalereien* nach pompejanischem Vorbild sehenswert. Die ausgestellten Stiche vermitteln die einstige Einheit von Haus und Barockgarten (🕓 Di–So im Winter 10–12.30, 15–17, im Sommer 10–12.30, 15 bis 18 Uhr). In der Nähe liegt die

Villa Torrigiani. Schon die Auffahrt zur Villa ist effektvoll: Majestätisch thront sie leicht erhöht an deren Ende. Die Farbigkeit der Fassade unterstreicht ihre Großartigkeit. Man besichtigt die im barocken Stil gestalteten Innenräume und natürlich den *Garten.* Im rechten Teil blieben das *Wasserbassin* und der hübsche *Giardino Segreto* (Geheimgarten) von der barocken Anlage erhalten, die mit ihren künstlichen Grotten, Wasserspielen und den Statuen des Herkules und der Winde zu den schönsten in der Umgebung Luccas zählt (🕓 März–Nov. tägl. außer Di 10–12, 15–18, bei Sommerzeit 10–13, 15 bis 19 Uhr).

Blick vom Guinigi-Turm

Die Stadtmauer, 4,2 km lang, lädt zu einem Spaziergang um die Innenstadt ein

Fassade von San Frediano

*Arezzo

Urbanität mit Charme vereint

Arezzo (296 m; 92 000 Einw.) erlebte 1992, im Jahre des 500. Todestages des Malers Piero della Francesca, einen enormen Besucherandrang. Kunstfreunde aus aller Welt kamen in die malerisch am Fuße eines Hügels gelegene Stadt, um einen Freskenzyklus des Künstlers in der Kirche San Francesco zu bewundern – und wurden bitter enttäuscht, denn die Restaurierungsarbeiten waren damals nicht, wie geplant, beendet. Nach neuesten Angaben können die Fresken jedoch im Jahr 2000 wieder vollständig besichtigt werden. Und wenn nicht – in Arezzo gibt es ja schließlich nicht nur Piero!

Geschichte

Die große Bedeutung Arezzos in etruskischer Zeit setzte sich auch nach der Eroberung durch die Römer 294 v. Chr. fort – das wohl größte Amphitheater der Toskana zeugt noch heute davon. Im ganzen Römerreich waren die „vasi aretini", eine korallenfarbige Keramik, gefragt – und auch einer der berühmtesten Männer Roms, Maecenas, der als Kunstförderer der Welt seinen Namen (Mäzen) hinterließ, stammt aus Arezzo.

Innere Auseinandersetzungen sowie Kämpfe mit Siena und Florenz schwächten die freie Kommune im Mittelalter. 1384 konnten deshalb die Florentiner Arezzo aufkaufen. Sie dominierten nun auf allen Gebieten. Nach einer langen Periode des Niedergangs gewann Arezzo erst im 20. Jh. als Handels- und Industriezentrum wieder an Bedeutung.

Sehenswürdigkeiten

Von „unten nach oben" schlendert man durch Arezzo: der *Corso Italia,* die Einkaufs- und Flanierstraße, führte bereits um 1200 als wichtigste Ader in Richtung Norden zum politischen und geistigen Zentrum der Stadt. Nur wenige Schritte links vom Corso wartet die Sehenswürdigkeit Arezzos schlechthin, die Kirche

****San Francesco ❶.** Berühmt ist der Bettelordensbau aus dem 13. Jh. für seine *******Fresken in der Chorkapelle* von *Piero della Francesca* (z. Zt. noch in Restaurierung). Der 1420 in San Sepolcro geborene Künstler – auch in seiner Heimatstadt sind Bilder von ihm erhalten – zählt zu den herausragenden Malern seiner Epoche in Italien, und die „Legende vom Kreuz Christi" bildet einen der vollkommensten Zyklen nicht nur der Renaissance-Malerei. Im Mittelpunkt der Legende steht der Traum Kaiser Konstantins, der ihm den Sieg über Maxentius voraussagt, falls Konstantin das Kreuz im Kampf mit sich führt. Mit dem „Traum Konstantins" schuf Piero della Francesca die erste Nachtszene in der Malerei! Die grandiose Monumentalität des Geschehens erzielte er durch reiche Farbgebung und das gleichmäßige Licht, in das er seine Figuren stellte.

Nach soviel Kunst kann man direkt gegenüber der Kirche im eleganten „Caffè dei Costanti" ein hervorragendes Eis, einen kühlen Aperitiv oder abends einen letzten Campari zu sich nehmen.

Man folgt wieder dem Corso, schaut vielleicht in das eine oder andere Schmuckgeschäft – Arezzo ist das bedeutendste Zentrum für Goldverarbeitung Italiens – und erreicht die

****Pieve di Santa Maria ❷**, die zu den schönsten romanischen Bauten der Toskana zählt. Besonders ihre Fassade ist bemerkenswert. Unten zieren sie fünf Blendarkaden und oben drei Galerien, deren Säulenzahl von zwölf über 24 auf 32 anwächst. Die Vielfalt der Säulen und Kapitelle erinnert an pisanische und Luccheser Vorbilder. Der „Campanile der hundert Löcher“ (in Wirklichkeit sind es nur achtzig) beeindruckt nicht minder. – Noch typisch mittelalterliche Läden säumen den Weg zur

***Piazza Grande ❸**, dem Zentrum des städtischen Lebens seit dem 13. Jh. und Schauplatz der „Giostra del Saracino“, einem historischen Ritterturnier (s. S. 18). Trotz der völlig verschiedenen Bauten – vielleicht aber auch gerade deswegen – wirkt der Platz als grandiose Einheit. Neben dem einfallsreichen Chor der Pieve steht der Justizpalast aus dem 17. Jh., an den sich der **Palazzo della Fraternità dei Laici* ❹ anschließt. Dem gotischen Untergeschoß (1375–1377) fügte *Bernardo*

❶ San Francesco
❷ Pieve di Santa Maria
❸ Piazza Grande
❹ Palazzo della Fraternità dei Laici
❺ Palazzo delle Logge
❻ Petrarca-Haus
❼ Stadtpark
❽ Medici-Festung
❾ Dom
❿ San Domenico
⓫ Casa di Giorgio Vasari

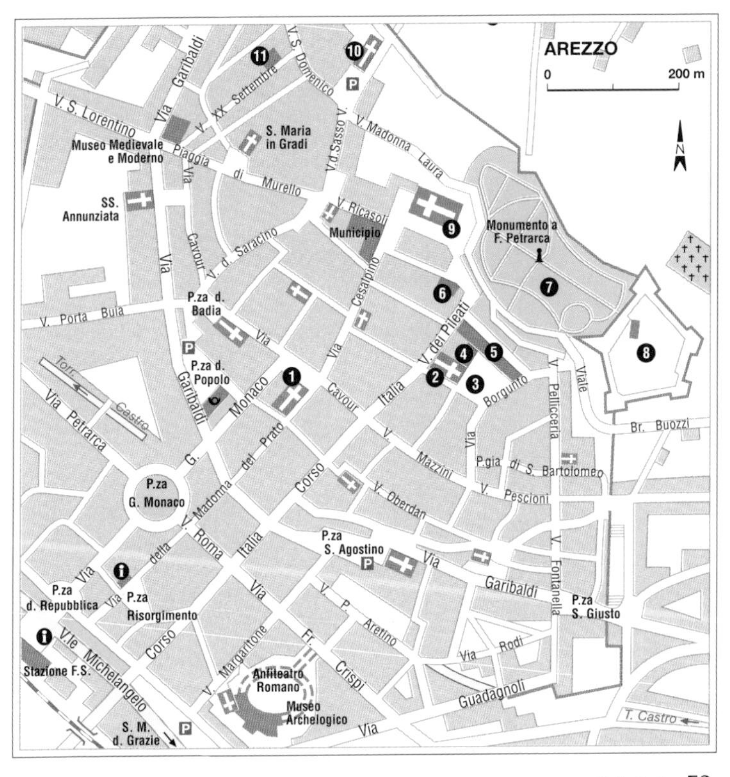

Rossellino 1434 den oberen Teil im Frührenaissance-Stil hinzu – eine hervorragend gelungene Verbindung, die der Balkon aus dem Jahre 1460 abschließt. Der Turm stammt ebenso von Vasari wie der grandiose **Palazzo delle Logge* ❺.

In den teilweise urigen Läden am Platz findet man das ganze Jahr über Antiquitäten – nicht nur beim traditionellen Markt am ersten Wochenende jedes Monats. Dann aber kommen selbst Käufer aus Hamburg!

Wieder am Corso Italia: Fast ganz oben liegt das Geburtshaus *Francesco Petrarcas* ❻, der mit Dante und Boccaccio die Trias der italienischen Dichter bildet.

Ganz oben am Corso kann man unter schattigen Bäumen ein bißchen verschnaufen; an dem kleinen Kiosk gibt es kühle Getränke. Wer durch den weitläufigen *Stadtpark* ❼ bis zu den Resten der *Medici-Festung* ❽ spaziert, wird mit einem herrlichen Panoramablick belohnt. Kaum zu übersehen ist das in der Zeit des Faschismus errichtete Monumentaldenkmal Petrarcas.

Das Schönste am gotischen

***Dom** ❾ sind seine **Fenster*. Der herausragende französische Glasmaler *Guillaume de Marcillat,* der auch in anderen Aretiner Kirchen arbeitete (San Francesco, SS. Annunziata), schuf sie zwischen 1518 und 1524. Das große Rundfenster der Fassade („Pfingstwunder") sowie vor allem die Fenster „Auferweckung des Lazarus" und „Vertreibung der Händler aus dem Tempel" erzählen in herrlichen, nuancenreichen Farben biblische Geschichten, die in die Renaissance-Architektur der Zeit gestellt sind. Auch der Dom hat einen *Piero* aufzuweisen.

Meist kann man sich das wertvolle **Magdalenafresko* neben der Sakristeitür in Ruhe ansehen – im Gegensatz zu den Fresken in San Francesco. Das eindrucksvolle *Grabmal* daneben ließ sich der Bischof und Stadtherr *Guido Tarlati* (1328) errichten. Die 16 Reliefs zeigen Szenen aus seinem Leben, z. B. die Eroberung von Kastellen für den Stadtstaat Arezzo – seine Taten sollten dem „Volk" so auf ewig vor Augen geführt werden.

Sieht sie nicht richtig schön alt aus, die *Cappella della Madonna del Conforto?* Was täuschend echt wirkt, entstand jedoch Ende des 18. Jhs. im historisierenden Stil. Wirklich echt sind allerdings die herrlichen Terracotta-Arbeiten von *Andrea della Robbia*.

Eine der beeindruckendsten Bettelordenskirchen der Toskana ist der 1275 gotisch begonnene Bau

***San Domenico** ❿, der die einladende, baumbestandene, gleichnamige Piazza abschließt. Großartig wirkt in seiner Schlichtheit der einschiffige Innenraum mit offenem Dachstuhl. Er läßt klar das Ideal einer Predigerkirche mit viel Platz und wenig „Schnörkeln" erkennen. Die schönen Fresken stammen aus dem 14. und 15. Jh., das **Kruzifix* über dem Hauptaltar ist ein sehenswertes Frühwerk von *Cimabue*.

Und noch einmal Vasari: 1540 kaufte er die

***Casa di Giorgio Vasari** ⓫. Dieses Haus sollte sein Refugium vom Alltagsstreß in Florenz werden – das wohl auch damals schon ziemlich hektisch war! Vasari dekorierte eigenhändig einige Räume im manieristischen Geschmack seiner Zeit mit mythologischen Szenen (🕓 werkt. 9–19, So + Fei 9–13 Uhr).

Praktische Hinweise

ℹ APT, Piazza Risorgimento 116, 52100 Arezzo, ☎ (05 75) 2 39 52, FAX 2 80 42; Informationsbüro Piazza della Repubblica 28, ☎ 37 76 78.
Bahn: alle internationalen und nationalen Verbindungen.
Bus: in die Umgebung.

Ⓗ **Continentale,** Piazza Guido Monaco 7, ☎ 2 02 51, FAX 35 04 85.

Zentral gelegen mit gutem Restaurant. (S)
Cecco, Corso Italia 215, ☎ 2 09 86, 📠 35 67 30. An der Flanierstraße, modernes Haus mit traditioneller Küche. (S)–(S)

Ⓡ **Le Tastevin,** Via de'Cenci 9. Typisch toskanische Gerichte, Pianobar. (S)
La Lancia d'Oro, Piazza Grande. Direkt am Hauptplatz unter den Loggien Vasaris, gute aretinische Küche. (S)

Zentrum des städtischen Lebens ist die Piazza Grande

Veranstaltungen: Jeden Samstag: Markt in der Via N. Aretino. Jedes erste Wochenende im Monat: größter Antiquitätenmarkt der Toskana auf der Piazza Grande, auch alle Geschäfte haben geöffnet.

Tip: Empfehlenswert – vor allem wegen der schönen *vasi aretini* – ist auch ein Besuch des didaktisch sehr gut aufgebauten *Museo Archeologico* beim Amphitheater.

San Domenico: Fresken aus dem 14. Jh.

Ausflug zu den Mönchen

Casentino nennt man das obere Arno-Tal zwischen den Gebirgsrücken des Pratomagno im Westen und den Serra- und Catenaia-Alpen im Osten. Dieser kaum vom Massentourismus berührte Teil der Toskana wartet mit dichten Kastanienwäldern, auch im Sommer angenehmen Temperaturen (gut für Picknicks geeignet!) und den beiden berühmten Abteien La Verna und Camaldoli sowie einladenden Orten wie *Poppi* oder *Stia* auf.

Man verläßt Arezzo auf der SS. Nr. 71 Richtung Norden und biegt in Bibbiena ab.

La Verna befindet sich auf 1129 m Höhe mitten in einem alten Buchen- und Fichtenwald. Hier erhielt der hl. Franz v. Assisi 1224 seine Wundmale (Stigmata).

Ⓡ Ⓗ **Azienda Agricola Casentinese,** ☎ 📠 59 48 06. Typische Küche des

Giorgio Vasari

Giorgio Vasari (Arezzo 1511–Florenz 1574) ging als Gründer der modernen Kunstgeschichte in die Annalen ein. Seine Biographien von Malern, Bildhauern und Architekten bilden das erste wissenschaftliche Werk der Kunstgeschichtsschreibung. Selbst wirkte er als Maler und Architekt in seiner Geburtsstadt, der er auch nach seiner Übersiedlung nach Florenz eng verbunden blieb. Als Baumeister und Vertrauter des Medici-Großherzogs Cosimo I. beeinflußte er den Kunstgeschmack seiner Zeit entscheidend. Den Uffizien in Florenz liegen seine Pläne zugrunde.

Casentino mit hausgemachten Nudeln und viel Wild. (\$)

Die Abtei **Camaldoli** auf 816 m Höhe gründete Romuald (952–1027), der selbst Kaiser Otto III. durch seinen asketischen Lebensstil faszinierte, inmitten eines Waldes. In der alten Apotheke kann man den von den Mönchen hergestellten Likör probieren. 2,5 km weiter bergauf liegt die *Einsiedelei* („Eremo"), in die sich Mönche des Camaldulenser Ordens zurückzogen.

Ausflug nach Cortona

Durch das fruchtbare Chiana-Tal, aus dem die Chianina-Rinderrasse kommt (ihr Fleisch gilt als das beste für die Bistecca alla fiorentina!) fährt man nach

***Cortona** (494 m; 22 500 Einw.), ein gemütliches Städtchen, das im 7. Jh. v. Chr. von den Etruskern gegründet wurde. Aus dieser Zeit sieht man im sehr interessanten **Museo dell'Accademia Etrusca* (Palazzo Pretorio) den berühmten sechzehn Kerzen tragenden **Bronzeleuchter* aus dem 5. Jh. v. Chr., der fast sechzig Kilo wiegt. Ägyptische Mumien, ein Pinturicchio oder langobardische Gewandfibeln – für jeden ist etwas dabei (◷ tägl. außer Mo 10–13, 16 bis 19 Uhr, Okt.–März 9–13, 15 bis 17 Uhr). An der zentralen *Piazza della Repubblica* sitzen die Besucher am liebsten auf der großartigen Freitreppe und bewundern den zinnenbekrönten Turm des *Palazzo Comunale*. Man spaziert von hier am besten zur wunderschönen ruhigen *Piazza della Pescaia*, die allein wegen der angenehmen Atmosphäre den Aufstieg in diesen pittoresken oberen Stadtteil lohnt. Die romantisch gelegene Kirche *San Niccolò* aus dem 15. Jh. wartet hier mit einem eleganten Portikus sowie einer wunderschönen Kassettendecke. Ganz oben hinauf führt ein steiler, zypressengesäumter Weg zur etwas protzig wirkenden Kirche *Santa Margherita*, die der Stadtheiligen von Cortona gewidmet ist. Das herrliche Panorama reicht hier bis zum Trasimener See!

Berühmtester Sohn Cortonas ist der 1441 geborene Maler *Luca Signorelli*, dessen Werke zu den Hauptsehenswürdigkeiten der Stadt zählen. Auch die Kreuzwegstationen des Cortonesers *Gino Severini* (1883–1966) lohnen einen Blick. (*Museo Diocesano*, ◷ tägl. außer Mo 9.30–13, 15.30–19, Okt. bis März 10–13, 15–17 Uhr).

Die schönste Kirche von Cortona, **Madonna del Calcinaio*, liegt allerdings 2,5 km außerhalb in Richtung Camucia. Der Renaissance-Bau, von 1485 bis 1513 nach Plänen von *Francesco di Giorgio Martini* errichtet, besticht besonders durch seine klare, harmonische Linienführung, die ihm eine großartige Eleganz auch im Inneren verleiht! (◷ nachm., So vorm.)

ℹ APT, Via Nazionale 42, 52044 Cortona, ☎ (05 75) 63 03 52/3.

🚆 Bahnhof in Cortona-Camucia nach Arezzo.
🚌 in die nähere Umgebung.

Ⓗ **San Luca**, Piazza Garibaldi 2, ☎ 63 04 60, 📠 63 01 05. Herrliche Lage mit Restaurant **Tonino.** (\$\$)
Athens, Via S. Antonio 12, ☎ 63 05 08, 📠 60 44 57. Nicht sehr komfortabel, dafür aber im schönen oberen Stadtteil gelegen. (\$\$)

Ⓡ **Loggetta**, Piazza Pescheria 3. Toskanische Küche in einem Palast aus dem 16. Jh. (\$\$)
La Grotta, Piazza Baldelli 3. Kleines, typisches Familienlokal. (\$)

Tip: Am 15. August findet die „Sagra della Bistecca" statt, ein Eßfest für Fleischfreunde.

Wer die Toskana noch nicht verlassen möchte, kann über eine längere, landschaftlich wunderschöne Strecke Anschluß an Route 6 (s. S. 84 ff.) finden.

Empfohlen sei die Fahrt über die **Abteikirche Farneta* (bei Foiano della Chiana) und die mittelalterlich geprägten, nicht so überlaufenen Städtchen *Lucignano*, *Sinalunga* und *Torrita di Siena* nach *Montepulciano* (s. S. 88).

Route 1

Seite 65

Abseits der „klassischen" Toskana

Die Route (99 km) führt von Florenz nach Lucca über Prato und Pistoia, zwei Städte, die eigentlich nicht zu den klassischen Reisezielen in der Toskana zählen. Am Rande des Apennin finden sich kleine Burgorte wie Seravalle Pistoiese, Montecatini Alto oder Buggiano Castello, wunderschöne Kanzeln, herrliche Medici-Villen und der Pinocchio-Park – die Route hält jede Menge Überraschungen bereit.

Man verläßt Florenz auf der Straße Nr. 66 Richtung Pistoia und erreicht in

Poggio a Caiano (45 m; 8000 Einw.) die *Medici-Villa.* Hier ließ sich Lorenzo il Magnifico ab 1480 erstmals ein von der mittelalterlichen Burgentradition losgelöstes Refugium auf dem Lande bauen. Ganz im Sinne der Antike stellte er „otium" – Müßiggang, Erholung vom Alltagsstreß in Florenz, philosophische Gespräche und Feste in den Mittelpunkt. *Giuliano da Sangallo* gestaltete die schlichte Villa nach dem Vorbild toskanischer Landhäuser. Die Repräsentationsabsicht verraten nur Portikus und Giebel, die das erste Mal seit der Antike in dieser Form an einem Profanbau verwirklicht wurden und unzählige Gebäude der Neuzeit beeinflußten. Im wunderschönen Garten besucht man die zauberhafte *Limonia,* den Zitronengarten. (⏲ tägl. 9 bis 15.30 Uhr, im Sommer länger; 2. u. 3. Mo im Monat geschlossen.)

Jedes Jahr fließen am vorletzten Septemberwochenende aus dem Brunnen die Monte-Albano-Weine von Carmignano. Kulinarisches und ein Antiquitätenmarkt umrahmen das Fest.

ℹ über ATP in Prato.
Ⓗ **Hotel Hermitage,** Via Ginepraia 112, Bonistallo, ☎ (0 55) 87 70 40, Fax 8 79 70 57. Ruhig in den Hügeln gelegen, mit Restaurant. $$
Ⓡ **Il Falcone,** Piazza XX Settembre 35. Großartige Grillteller. $

Von Poggio a Caiano sollte man unbedingt einen Abstecher nach

Artimino (260 m) unternehmen, um das herrlich gelegene Jagdschloß des Medici-Großherzogs Ferdinand I. zu besuchen, ***La Ferdinanda.*** Idyllische Landschaft, ein sehenswertes Archäologisches Museum (⏲ werktags außer Mi 9–13, So 9–12.30 Uhr), hervorragender Wein und ein mittelalterliches Städtchen laden zu dem Abstecher zur Villa „mit den hundert Kaminen" ein. In den Gebäuden der *Paggeria* (die ehemalige Unterkunft der Pagen) befindet sich heute ein Luxushotel mit Kongreßzentrum, zu dem auch rustikale Appartements in den Häusern des Dorfes gehören. Hier kann man die Produkte der Fattoria wie Olivenöl oder den ausgezeichneten Wein Carmignano DOCG probieren. Im Restaurant, ebenfalls in einem Gebäude aus der Medici-Zeit, erwartet den Gast toskanische Küche vom Feinsten. Eine weniger kostspielige toskanische Brotzeit im Freien, eine „Merenda all'aperto", ißt man im Dorf!

Ⓗ Ⓡ **Albergo Paggeria Medicea,** 50040 Artimino (FI), ☎ (0 55) 8 71 80 81, Fax 8 71 80 80. Mit ausgezeichnetem Restaurant. $$$

Durch die wunderschöne Hügellandschaft um *Carmignano* erreicht man

***Prato** (65 m; 168 000 Einw.), das oftmals von Toskanabesuchern links liegen gelassen wird, jedoch in seinem historischen Stadtkern, der von mächtigen Mauern des 14. Jhs. noch vollständig umschlossen wird, außergewöhnliche Kunstschätze zu bieten hat.

Auf der Textilverarbeitung beruhte schon immer der wirtschaftliche Erfolg der Stadt, vor allem auf der Produk-

1

tion von Wollwaren. Im 13. Jh. waren Prateser Tuche europaweit begehrt; heute gehört Prato zu den wichtigsten Textilproduzenten Italiens. Das *Museo del Tessuto* (z. Zt. im Umzug) mit wertvollen Stoffen und Webstühlen sowie das größte Museum zeitgenössischer Kunst in Italien, das **Museo Luigi Pecci* (Viale della Repubblica, ⏲ tägl. außer Di 10–19 Uhr) dokumentieren die Aktivitäten einer der Tradition verbundenen, aber auch für die Moderne aufgeschlossenen Stadt.

Die auffallende **Außenkanzel* sticht am 1211 im Pisanisch-Luccheser Stil errichteten ***Dom* sofort ins Auge. Michelozzo schuf sie von 1428 bis 1438. Die Reliefs mit den tanzenden Putten von *Donatello* gehören zu den besten Arbeiten der Renaissance. Im Inneren bewundert man einen der wichtigsten Freskenzyklen der Frührenaissance: *Filippo Lippi* malte von 1452 bis 1466 in der Hauptchorkapelle die Szenen aus dem Leben Johannes des Täufers (rechts) und des Kirchenpatrons Stefan (links). Das **Dommuseum* (⏲ tägl. außer Di 9.30–12.30, 15–18.30, So 9–12.30 Uhr) sollte man nicht nur wegen der Originalreliefs der Sängerkanzel von Donatello besuchen. Vom Museum gelangt man auch in den zauberhaften romanisch-byzantinischen Laubengang aus dem 12. Jh. und in die interessante Krypta.

Über die elegante Via Mazzoni spaziert man weiter. In der abzweigenden *Via Accademia* findet man unter Nr. 9 das rustikale Restaurant „Baghino“, das zu toskanischer Küche einlädt.

Die *Piazza del Comune* zieren ein schöner *Bacchus-Brunnen* (1659) und die Statue des reichen Prateser Kaufmanns Francesco di Marco Datini. Die klassizistische Fassade des *Palazzo Comunale* wirkt richtig leicht im Vergleich mit dem massiven *Palazzo Pretorio* gegenüber.

Durch die Via Cairoli gelangt man nun zu einer der schönsten Kirchen Pratos, **Santa Maria delle Carceri. Giuliano*

Auffällig: die Außenkanzel am Dom von Prato

Der Kreuzgang von San Francesco in Prato

Prato: eine Skulptur von Henry Moore auf der Piazza San Marco

Prato: Kapitelsaal San Francescos

1

Seite 65

da Sangallo errichtete sie zwischen 1484 und 1495 in Form eines griechischen Kreuzes. Der sehr elegante Zentralbau gilt mit seinen harmonischen Formen im Inneren als eines der gelungensten Beispiele der Hochrenaissance-Architektur. Terracotta-Arbeiten von *Andrea della Robbia* (1492) vervollständigen dieses Meisterwerk.

Etwas deplaziert mutet die von Friedrich II. 1248 erbaute **Kaiserburg* an. In der Tat ist sie mit ihren Anklängen an die apulisch-staufische Burgentradition die einzige ihrer Art in Mittel- und Norditalien. Nur wenige Schritte weiter erreicht man die Kirche *San Francesco.* In dem 1294 gotisch begonnenen Bau lohnen die Grabplatte Datinis (1411) sowie der Kreuzgang aus dem 15. Jh. mit dem Kapitelsaal (schöne Fresken von *Niccolò Gerini*) einen Blick.

Gleich in der Nähe sollte man noch in der Via Ricasoli Nr. 20–22 vorbeischauen, wo es in der *Fabbrica di Cantuccini* von Antonio Mattei die echten *Cantuccini* aus Prato gibt, die traditionsgemäß in blauen Schachteln und Tüten verkauft werden.

Man folgt der Via Rinaldesca zum *Palazzo Datini.* Francesco di Marco Datini (1330–1410) war einer der bedeutendsten Kaufleute seiner Epoche. Seine Korrespondenz (im Archiv des Palastes), die von seinen Handelsbeziehungen in ganz Europa zeugt, bildet eine einmalige Quelle für die Wirtschaftsgeschichte der Zeit und belegt die weite Verbreitung des Wechsels als bargeldloses Zahlungsmittel bereits im 14. Jh. Der im Frührenaissancestil erbaute Palast mit seinen seltenen äußeren Wandmalereien, der auch im Inneren stilvolle Fresken aufwies (nur noch Sinopien erhalten) beweist eindrucksvoll den Rang seines Erbauers.

ⓘ APT, Via Cairoli 48/52,
50047 Prato, ☎ FAX (05 74) 2 41 12.
Bahn nach Florenz und Lucca.
Bus in die nähere und weitere Umgebung.

Ⓗ **Villa S. Cristina,** Via Poggio Secco 58, ☎ 59 59 51, FAX 57 26 23. Stilvolle Villa aus dem 17. Jh. mit Park, Aussichtsterrasse und Restaurant, außerhalb. $$
Flora, Via Cairoli 31, ☎ 3 35 21, FAX 4 02 89. Angenehmes Hotel mitten im Zentrum. $–$$
Fattoria Malpasso, 50040 Vernio, Ortsteil S. Ippolito (bei Vernio), ☎ FAX 95 75 93. Geruhsames Wohnen in den Bergen, einfache Ausstattung, ohne Bad. $
Agriturismo Ponte alla Villa, Via di Luicciana 273, 50040 Cantagallo, Ortsteil La Villa, ☎ 95 60 94. Ruhig in den Bergen gelegen. $
Ⓡ **Tonio,** Piazza Mercatale 161. $$

Veranstaltungen: Im Sommer im Rahmen des „Prato Estate“ kulturelle Veranstaltungen wie Konzerte, Freiluftkino. Ostern, 1. Mai, 15. August, 8. September, Weihnachten: Zurschaustellung des Heiligen Gürtels mit historischem Umzug.

Tips: Museum für Wandmalerei (🕓 tägl. außer Di 9–12 Uhr) mit sehenswerten Fresken und Sinopien im schönen Kreuzgang der Kirche San Domenico. Alle Museen sind dienstags geschlossen.

Durch Olivenhaine fährt man über Montemurlo, Montale und Santomato weiter nach Pistoia. Die Schilder „Vendita diretta“ an diesem Abschnitt der Chianti-Straße laden dazu ein, direkt beim Produzenten Wein und Olivenöl zu kaufen.

***Pistoia** (65 m; 89 000 Einw.) ist eine lebhafte Kleinstadt zwischen den Ausläufern des Apennin und dem Monte Albano. Sie empfängt ihre Besucher mit einer angenehmen Liebenswürdigkeit, guten Einkaufsmöglichkeiten und herausragenden Kunstschätzen. In den Auslagen der Lebensmittelgeschäfte findet man Spezialitäten der auf landwirtschaftliche Produkte spezialisierten Provinz Pistoia: Olivenöl und Wein, Käse und Salami.

1
Seite 65

Die Stadt Pistoia geht auf eine römische Gründung zurück. Ihre wirtschaftliche und kulturelle Blütezeit erlebte sie, nachdem sie die kommunale Autonomie 1115 erlangt hatte. Aus dieser Epoche blieben die herrlichen romanischen Kirchen mit ihren wunderschönen Kanzeln *(*San Bartolomeo in Pantano, **Sant'Andrea* von *Giovanni Pisano* und ***San Giovanni Fuorcivitas)* erhalten. Innere Auseinandersetzungen zwischen Guelfen und Ghibellinen schwächten Pistoia, so daß 1324 die Florentiner die Schutzherrschaft übernehmen konnten.

Baptisterium am Domplatz von Pistoia

Wer am Mittwoch oder Samstag den *Domplatz* betritt, übersieht vielleicht vor lauter Markttrubel das anmutige **Baptisterium*, das von 1338 bis 1359 nach Plänen von *Andrea Pisano* erbaut wurde.

Pistoia: Fresken im Museo Civico im Palazzo del Comune

1108 begann man mit dem

***Dom San Zeno* im romanisch-pisanischen Stil. Vor der Fassade mit ihren drei übereinander angeordneten Säulenloggien liegt die im 14. Jh. hinzugefügte Vorhalle. Das bedeutendste Kunstwerk der Kirche steht in der *Sankt Jakobs-Kapelle:* der herrliche **Silberaltar.* An den 628 Relieffiguren dieses Hauptwerks der italienischen Schmiedekunst wurde von 1287 bis 1456 gearbeitet.

Mit dem Dom verbunden ist der 1294 begonnene **Palazzo del Comune.* Seine mit Fresken geschmückten Säle beherbergen das *Museo Civico* (🕓 tägl. außer Mo 10–19, So + Fei 9–12.30 Uhr) mit einer repräsentativen Auswahl an Gemälden aller bedeutenden Epochen Pistoieser Kunst, die auch die Neuzeit nicht vernachlässigt. Einen Einblick in die Architektur Italiens im 20. Jh. erhält man im *Dokumentationszentrum Giovanni Michelucci* (1891–1990). Der in Pistoia geborene Architekt entwarf u. a. die berühmte Kirche an der Autobahn bei Campi Bisenzio. Links hinter dem Palazzo gelangt man zum **Ospe-*

Mit der romantischen Drahtseilbahn nach Montecatini Alto

1
Seite 65

dale del Ceppo. Im 16. Jh. erhielt die *Della-Robbia-Werkstatt* den Auftrag für die Tondi (Rundbilder) und den Majolika-Fries mit den sieben Werken der Barmherzigkeit: die Nackten kleiden, die Pilger aufnehmen, den Kranken beistehen, die Gefangenen besuchen, die Toten begraben, die Hungernden speisen, die Dürstenden tränken. Lebendigkeit und markante Farbgebung verleihen dem Kunstwerk eine auffallende Frische.

Die mittelalterliche *Via di Straccheria* (Abzweigung von der Via Roma) gehört mit ihren alten Läden zu den charakteristischsten Gäßchen der Stadt. Die an sich schon pittoreske *Piazza della Sala* bekommt durch den lebhaften Markt noch mehr Atmosphäre. Gleich in der Nähe befindet sich in der Via dei Fabbri 7 ein nettes Lokal gleichen Namens: „Via dei Fabbri 7".

Nur wenige Schritte sind es zur reich dekorierten Kirche ***San Giovanni Fuorcivitas,* die bereits im 8. Jh. begonnen wurde. Zu ihren wichtigsten Kunstwerken gehören das *Weihwasserbecken* mit den Köpfen der vier Kardinaltugenden von *Giovanni Pisano* sowie die schöne *Kanzel* (1270) von *Wilhelm von Pisa.*

Wer würde nicht gern einmal unter Fresken aus dem 14. Jh. seinen Espresso trinken? Das „Caffè Valiani" neben der Kirche bietet dazu Gelegenheit: Die Räume bildeten einst das Oratorio Sant'Antonio Abate!

Die etwas unscheinbar wirkende * *Chiesa del Tau* überrascht mit einem vollständig ausgemalten Innenraum. Im ehemaligen Konvent nebenan befindet sich das dem in Pistoia geborenen Künstler *Marino Marini* (1901 bis 1980) gewidmete *Museum* (🕓 Di–Sa 9–13, 15-19 Uhr, So 9–12.30 Uhr).

Eine Kuriosität zum Abschluß: der Palazzo Azzolini (heute Sparkasse, Via Roma). Sieht er nicht innen aus wie ein Palast des 15. Jhs.? Und doch ist er nur eine Kopie!

ℹ APT, Via Roma 1 (im Palazzo dei Vescovi), 51100 Pistoia, ☎ (05 73) 2 16 22, FAX 3 43 27.
🚆 nach Florenz und Lucca.
🚌 in die nähere und weitere Umgebung.

🏨 **Leon Bianco,** Via Panciatichi 2, ☎ 2 66 75, FAX 2 67 04. Ruhiges Hotel im Zentrum. $
Il Convento, Via S. Quirico 33, 51030 Santomato, ☎ 45 26 51, FAX 45 35 78. Ehemaliger Franziskanerkonvent, zu einem komfortablen Hotel mit Stil umgebaut. $
Ⓡ **Leon Rosso,** Via Panciatichi 4. Gute toskanische Küche in nettem Lokal. $

Veranstaltungen: Jedes zweite Wochenende im Monat (außer Juli/Aug.): Antiquitätenmarkt auf der Piazza Duomo. Anfang Juli: „Luglio Pistoiese" mit Kultur- und Musikveranstaltungen, u. a. „Pistoia Blues". 25. Juli: „Giostra dell'Orso" (s. S. 19). Ende Juli bis September: Konzerte in den Villen und mittelalterlichen Orten der Provinz (Infos beim APT).

Tips: Pistoia eignet sich hervorragend als Ausgangspunkt für Exkursionen in die Berge, auch mit dem Mountainbike.
Etwas außerhalb (4 km) liegt der wirklich sehr schöne *Zoo „Città di Pistoia"* (Via Pieve a Celle 160. 🕓 tägl. 9 Uhr bis Sonnenuntergang).

So viele hohe Türme!

Im Mittelalter gab es sehr viele „Case-Torri" (Wohntürme), in San Gimignano (s. S. 68) beispielsweise über siebzig Stück. Oft eingegliedert in ganze Häusergruppen, die über einen gemeinsamen Innenhof verfügten, bildeten sie richtige kleine Festungen. Und bei den häufigen Kämpfen zwischen den rivalisierenden Familien waren diese auch bitter nötig!

1

Seite 65

Verbilligtes Sammelticket für Museo Marini, Museo Civico und Rospigliosi – Nuovo Museo Diocesano; Sa nachmittags gratis.

—

Man verläßt Pistoia auf der Straße Nr. 435 nach Lucca und erreicht

Eines der nobelsten Thermalbäder Europas – Montecatini Terme

Serravalle Pistoiese (182 m; 9000 Einw.). Die Miniaturausgabe von San Gimignano ist ein herrlich gelegenes kleines Burgstädtchen mit intakter mittelalterlicher Altstadt und mehreren erhaltenen Wohntürmen. Man spaziert zunächst durch die Gäßchen hinauf zur Pfarrkirche *Santo Stefano* aus dem 13. Jh. Ihr Campanile gehörte einst ebenso zur alten Festungsanlage wie der *Barbarossa-Turm* hinter der Kirche. Etwas unterhalb der Stadt sieht man die malerische Ruine der *Rocca*. Der sechseckige Travertinturm im Olivenhain macht heute einen friedlichen Eindruck. Wer will, kann einen der Türme besteigen, eine traumhafte Aussicht nach allen Seiten genießt man jedoch auch so.

Im Park der sprechenden Holzpuppe Pinocchio in Collodi

🚆 Linie Florenz–Lucca.

Der Kurstadt ***Montecatini Terme** (29 m; 20 500 Einw.) gehört zu den nobelsten Thermalbädern Europas. Zu Beginn unseres Jahrhunderts entstanden die herrlichen Thermalanlagen, die noch heute den Besucher empfangen. Am bekanntesten ist wohl *Tettuccio*. Wunderschöne Parks wechseln mit Hotels im Stil der Jahrhundertwende im gepflegten oberen Teil der Stadt.

ℹ APT Montecatini/Valdinievole, Viale Verdi 66/A, ☎ (05 72) 77 22 44, 📠 7 01 09; Informationsbüro der Thermengesellschaft Viale Verdi 41, ☎ 77 84 51, 📠 77 84 44.
🚆 Linie Florenz–Lucca.
⛺ ganzjährig, 3 km nördlich gelegen, mit Pool (April–Okt.).

Im Park der Villa Garzoni in Collodi

1
Seite 65

Von Montecatini Terme sollte man hinauf nach *Montecatini Alto* (290 m) fahren, entweder mit dem Auto oder – romantischer – mit der Drahtseilbahn (🕓 April–Okt.). Von diesem herrlich gelegenen, noch von alten Mauern umschlossenen, kleinen Burgstädtchen genießt man eine wunderschöne Aussicht. Und der Hauptplatz erst – wie in einem Wohnzimmer sitzt man hier im Freien und staunt in einem der Cafés oder Restaurants über das mittelalterliche Ambiente.

Der Ort **Monsummano Terme** (20 m; 18 800 Einw.), die kleine Schwester von Montecatini Terme, besitzt eigene Grazie, wenn auch nicht die gleiche Eleganz. Hier schwitzt man sich in bis zu 300 m langen Grotten bei 34 °C gesund. Die Renaissance-Loggia der *Collegiata* sowie die Loggien des *Pilgerhospiz* zählen zu den hiesigen Sehenswürdigkeiten. Ein weiteres schönes Burgstädtchen ist *Buggiano Castello,* das einen herrlichen Ausblick auf die Umgebung gewährt. Der Hauptplatz im Zentrum macht einen strengen Eindruck, geprägt von der schlichten Eleganz des *Palazzo Pretorio.*

🚆 Borgo a Buggiano,
Linie Florenz–Lucca.

Pescia (62 m; 18 100 Einw.), das Zentrum des Nievole-Tals, ist die Blumenstadt der Toskana mit über 1200 Betrieben. Frühaufsteher können im *Mercato dei Fiori* dem Verkauf der Blumen in alle Welt beiwohnen. Der Fluß Nievole trennt den linken, geistlichen Mittelpunkt der Stadt, der sich um den Domplatz gruppiert, vom rechten, weltlichen Teil. Der barocke *Dom* und die im selben Stil errichtete Kirche *S. Maria Magdalena* verdienen ebenso einen Blick wie die etwas oberhalb gelegene gotische Kirche *San Francesco.*

Das weltliche Stadtzentrum befindet sich am rechten Flußufer an der **Piazza Mazzini,* die ein Ensemble von Häusern und Palästen des 14. bis 19. Jhs. umschließt. Hervorzuheben sind der *Palazzo Comunale* und die hübsche Renaissance-Kirche *SS. Pietro e Paolo,* auch *Madonna di Piè di Piazza* genannt. Die wunderschöne Holzdecke von 1605 mit den Heiligen Petrus und Paulus sowie Maria mit dem Kind überrascht im Inneren.

ℹ über APT Montecatini Terme.
🚆 Linie Florenz–Lucca.
🚌 nach Collodi.
Ⓡ **Azienda Agricola Marzalla,** Via Collecchio 53, ☎ (05 72) 49 07 51, 📠 47 83 32. Traditionelle Speisen, Produkte der Azienda wie Wein, Olivenöl oder Marmeladen im Direktverkauf. Pool, Tischtennis, Reitstall und Tennisplatz ganz in der Nähe, außerdem Trekking-Pfade in die Berge. ($)
Cecco, Piazza Mazzini 95. Ausgezeichnete, der Region verbundene Küche. ($)

Von Pescia fährt man weiter nach

Collodi (125 m). Collodi? Wer hat nicht irgendwann in seiner Jugend Pinocchio gelesen? Der Schriftsteller Carlo Lorenzini, der Erfinder der sprechenden Holzpuppe, wählte als Pseudonym den Namen seiner Heimatstadt. Im *Pinocchio-Park* kommen Kinder voll auf ihre Kosten. Die Mamas und Papas aber ebenso, denn im Parkgelände befindet sich die ausgezeichnete „Osteria del Gambero Rosso“. Man sollte in Collodi aber nicht nur Pinocchio huldigen, sondern auch den herrlichen Barockgarten der *Villa Garzoni* besuchen, der vor dem mittelalterlichen oberen Stadtteil liegt.

Auf der Strecke nach Lucca lohnt noch ein Abstecher nach *Montecarlo* – nicht ins schicke Fürstentum, sondern in das kleine liebliche Bergstädtchen. Nicht so sehr die mittelalterlichen Mauern, sondern der herrliche Wein macht den Ort zu etwas Besonderem. Der seit 1969 anerkannte Qualitätswein (DOC) bietet ein geschmackvolles fruchtiges Bouquet und wird auch als Weißwein erzeugt. Und vielleicht haben Sie ja Glück, und es findet gerade die Weinmesse mit gastronomischem Rahmenprogramm statt (Anfang September).

1
Seite 65

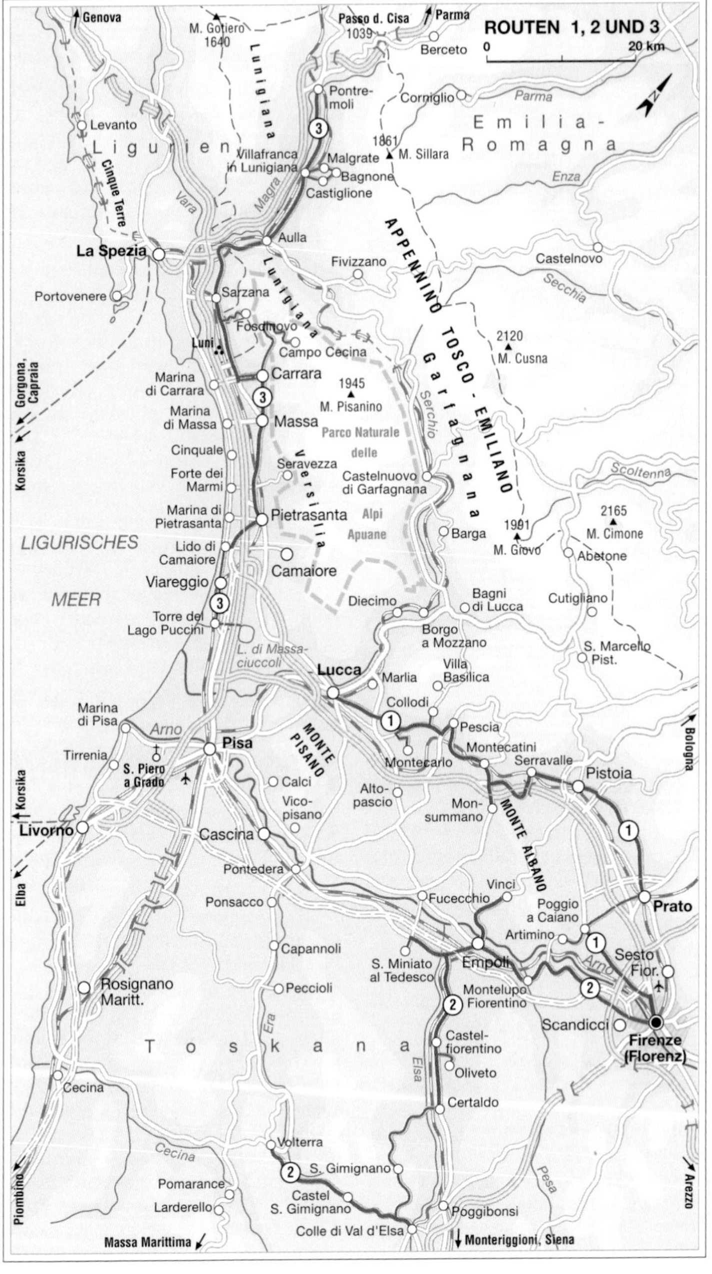
ROUTEN 1, 2 UND 3
0 20 km
Genova
M. Gotiero 1640
Passo d. Cisa 1039
Parma
Berceto
Lunigiana
Pontremoli
Corniglio
Parma
Emilia-Romagna
Levanto
Ligurien
Cinque Terre
Villafranca in Lunigiana
Malgrate
1861 M. Sillara
Bagnone
Castiglione
Enza
Vara
Magra
APPENNINO TOSCO-EMILIANO
La Spezia
Aulla
Fivizzano
Castelnovo
Secchia
Portovenere
Sarzana
Lunigiana
Fosdinovo
Luni
Campo Cecina
2120 M. Cusna
Gorgona, Capraia
Marina di Carrara
Carrara
1945 M. Pisanino
Garfagnana
Marina di Massa
Massa
Parco Naturale delle Alpi Apuane
Serchio
Korsika
Cinquale
Seravezza
Versilia
Forte dei Marmi
Castelnuovo di Garfagnana
Scoltenna
Marina di Pietrasanta
Pietrasanta
2165 M. Cimone
LIGURISCHES MEER
Lido di Camaiore
Camaiore
Barga
1991 M. Giovo
Abetone
Viareggio
Diecimo
Bagni di Lucca
Cutigliano
Torre del Lago Puccini
Borgo a Mozzano
L. di Massaciuccoli
S. Marcello Pist.
Lucca
Marlia
Villa Basilica
Collodi
Marina di Pisa
Arno
Pescia
Bologna
Pisa
Tirrenia
S. Piero a Grado
Montecarlo
Montecatini
Serravalle
Pistoia
MONTE PISANO
Calci
Korsika
Vicopisano
Altopascio
Monsummano
MONTE ALBANO
Livorno
Cascina
Pontedera
Elba
Ponsacco
Vinci
Fucecchio
Poggio a Caiano
Prato
Artimino
Capannoli
S. Miniato al Tedesco
Empoli
Sesto Fior.
Arno
Peccioli
Montelupo Fiorentino
Rosignano Maritt.
Scandicci
Firenze (Florenz)
Era
Toskana
Castelfiorentino
Elsa
Oliveto
Cecina
Certaldo
Cecina
Volterra
S. Gimignano
Pesa
Pomarance
Castel S. Gimignano
Piombino
Arezzo
Larderello
Poggibonsi
Colle di Val d'Elsa
Massa Marittima
Monteriggioni, Siena

Route 2

2

Seite 65

Bekanntes und weniger Bekanntes

Die Route (126 km) führt von Florenz zu den traditionellen Zielen der Toskana, San Gimignano und Volterra, streift aber auch weniger bekannte Orte wie Certaldo oder Colle di Val d'Elsa. Neben der Kunst der mittelalterlichen Städte spielt die Natur eine zentrale Rolle: die bekannte „klassische" Landschaft der Toskana zwischen San Gimignano und Volterra sowie die weniger bekannten hübschen Flußtäler von Arno und Elsa. Wer möchte, kann von Volterra weiter nach Massa Marittima ans Meer fahren.

Man verläßt Florenz auf der SS. Nr. 67 und fährt landschaftlich reizvoll am Arno entlang über *Lastra a Signa*.

In **Montelupo Fiorentino** (35 m; 10 100 Einw.) erwartet das schönste Keramikmuseum der Toskana den Besucher im *Palazzo del Podestà:* das **Museo Archeologico e della Ceramica* (🕓 Di–So 9–12 und 14.30–19 Uhr). Das eigentliche Keramikmuseum führt in die Produktionstechniken glasierter Keramik (Majolika) ein. Die zauberhaften Stücke reichen von der Antike bis hin zu den Keramiken aus den seit Ende des 14. Jhs. florierenden Werkstätten Montelupos. Im Juni findet die „Festa delle Ceramiche" statt.

Tip: Verbilligtes Sammelticket für die Museen in Montelupo, Empoli, Vinci.

Empoli (28 m; 43 500 Einw.), eine bedeutende kleine Industriestadt, hat – zum Leidwesen der Bürger – wenig Sorgen mit dem Erhalt seiner Bausubstanz. Die Zerstörungen des Krieges ließen nur drei sehenswerte Kirchen übrig – die **Collegiata Sant'Andrea* mit ihrer wunderschönen Fassade, *Santo Stefano* und *Santa Maria a Ripa.*

Vinci (97 m; 13 700 Einw.). Vinci? Richtig, *Leonardo da Vinci* (1452 bis 1519), der Maler der Mona Lisa, wurde in diesem toskanischen Dorf als unehelicher Sohn geboren – und nannte sich eben nach seinem Geburtsort „da Vinci", aus Vinci.

Bereits die Anfahrt stimmt auf das kleine, noch mittelalterlich geprägte Zentrum ein, das heute noch wie im 12. Jh. von dem *Kastell* der Grafen Guidi beherrscht wird. Im Inneren richtete der Ort zu Ehren seines berühmtesten Sohnes ein sehr interessantes *Museum* (🕓 tägl. 9.30–18 Uhr) ein, das den Forschungs- und Wissensdrang des Universalgenies belegt.

Etwa fünfzig Modelle der Erfindungen des Künstlers wurden hier erstmals nachgebaut: Fallschirm, Fluggerät, Schwimmflossen, Taucherausrüstung, Wasserski, ein kettengetriebenes Fahrrad – sie alle dokumentieren die erstaunlichen Leistungen Leonardos.

Wie ein Finger ragt schon von weitem sichtbar das Wahrzeichen von

San Miniato (156 m; 25 700 Einw.) in den Himmel: der Turm Kaiser Friedrichs II. Man sollte ihn schon wegen der traumhaften Aussicht auf das Arno-Tal besteigen (🕓 Di–So 10–12, 15–18 bzw. 19 Uhr).

Bei San Miniato traf früher die Frankenstraße auf die wichtige Verbindung Pisa-Florenz, hier lag ein Arno-Übergang, und vom Hügel aus konnte man das Geschehen beherrschen. Diese günstige strategische Lage bestimmte die Geschichte der Stadt. Kaiser Otto I. machte San Miniato zum Sitz seiner Vikare in der Toskana. Er leitete die deutsche Präsenz ein, die zu dieser Zeit im Beinamen „al tedesco" ihren Ausdruck fand. Von der Kaiserburg Friedrichs II. zeugt heute nur noch der Turm – zeugt wieder, sollte man eigentlich sagen, da ausgerechnet deutsche Offiziere ihn 1944 sprengten. Deutsche Truppen, italienische Faschisten und Partisanen, sie kämpften hier erbittert.

Der *Prato del Duomo,* ein baumgesäumter Platz mit herrlicher Aussicht, ist weltliches und geistliches Zentrum des Ortes: Dem Amtssitz der kaiserlichen Vikare aus dem 12. Jh. liegt die romanische Fassade des *Doms* gegenüber. Im dreischiffigen Inneren, im 18. und 19. Jh. barockisiert, schuf die Bildhauerin *Amalia Dupré* (1845–1928) aus Florenz eine elegante *Kanzel* sowie mehrere schöne *Grabmäler* in den Seitenschiffen.

Blick auf San Miniato al Tedesco

2

Seite 65

ⓘ APT, Piazza del Popolo 3, 56027 San Miniato, ☎ (05 71) 4 27 45, FAX 41 87 39.
Bahn in San Miniato Basso, Linie Florenz–Pisa.
Bus in die nähere Umgebung.
Ⓗ **Albergo Miravalle,** Piazza Castello 3, ☎ 41 80 75, FAX 41 96 81. Kastell, in dem 1046 die Markgräfin Mathilde von Canossa geboren wurde. ($)
Ⓡ **Canapone,** Piazza Buonaparte 5. Typisch toskanische Küche und in der Saison Trüffel. ($)
Veranstaltungen: Jeden zweiten So im Monat außer Aug.: größter Öko-Markt der Toskana, biologisch angebauter Wein, Olivenöl, Honig. Jeden ersten So im Monat außer Aug.: Antiquitätenmarkt. Dritter So im Okt.: Trüffel- und Pilzfest. Nov.: „Novembre Sanminiatese" – den ganzen Monat Musik, Kultur und Trüffelessen, am letzten Wochenende Weißer Trüffelmarkt.

Das barockisierte Innere des Doms von San Miniato

Die meist baumgesäumte Straße Nr. 429 führt das Elsa-Tal hinauf nach

Castelfiorentino (50 m; 17 000 Einw.), das – wie sein Name schon sagt – 1149 zu einem Florentiner Kastell wurde. Die Hauptsehenswürdigkeit des Ortes sind die **Fresken Benozzo Gozzolis* (1420 –1497) in der Biblioteca Comunale „Vallesiana" (Via Tilli 41; ⏲ Di,

Eng und verwinkelt sind die Gäßchen in San Miniato

2

Seite 65

Do, Sa 16–19, So 10–12 und 16 bis 19 Uhr). Zwei vorbildlich restaurierte Zyklen werden seit 1986 in dem kleinen Museum gezeigt. Direkt auf Augenhöhe, nicht wie sonst weit oben in den Wölbungen einer Kirche, kann man hier die heiteren Geschichten betrachten, die die Erzählfreude des Florentiner Malers verraten.

Kurz hinter Castelnuovo zweigt links eine Straße zum **Kastell* von *Oliveto* ab, das heute eine Azienda Agricola beherbergt. Den wunderschönen befestigten Landsitz, den sich ein Florentiner Kaufmann im 15. Jh. errichten ließ, kann man einfach nur besichtigen, man kann aber dort auch ein Appartement mieten, den hauseigenen Wein probieren (und kaufen) und – nach Vorbestellung – dort essen (☏ 05 71/ 6 43 22, FAX 6 15 08).

Certaldo (67 m; 16 000 Einw.) ist die Heimatstadt der Familie von *Giovanni Boccaccio,* der mit dem „Decamerone" eines der Hauptwerke der italienischen Literatur schuf. Die hundert Erzählungen vermitteln ein lebendiges, oft deftiges Bild des gesellschaftlichen Lebens im 14. Jh. An der Hauptstraße im noch mittelalterlich geprägten oberen Teil Certaldos liegen alle Sehenswürdigkeiten des Ortes: das *Haus Boccaccios,* die *Kirche San Jacopo e Filippo,* in der er begraben wurde, und der schöne **Palazzo Pretorio.* Der Weg ganz nach oben lohnt sich wirklich: Im ehemaligen Kanonikerhaus von 1200 befindet sich die „Osteria del Vicario" (Via Rivellino 3), in der man sich an der guten toskanischen Küche, der herrlichen Aussicht und dem romanischen Kreuzgang erfreuen kann …

Eine kurvenreiche, reizvolle Straße führt zum wichtigsten Zentrum des Elsa-Tals:

Die Stadt ****San Gimignano** (344 m; 7000 Einw.) überrascht den Reisenden schon bei der Anfahrt mit ihrer einzigartigen Silhouette. In der hügeligen Landschaft wirken die 13 noch erhaltenen der einst 72 mittelalterlichen Geschlechtertürme von weitem wie die Skyline von Manhattan.

Die Frankenstraße durchquerte als Via San Matteo und Via San Giovanni früher die Stadt. Der Bedeutungsverlust der Handelsstraße führte im 14. Jh. zu einer wirtschaftlichen und politischen Krise. San Gimignano verarmte, Geld für neue Prachtbauten war nicht mehr vorhanden, die Häuser aus dem 11. und 12. Jh. wurden so später kaum mehr verändert. Seit der Restaurierung der Bausubstanz mit finanzieller Unterstützung der UNESCO entwickelte sich San Gimignano zu einem Anziehungspunkt für Toskana-Touristen.

Das Herz von San Gimignano schlägt auf der **Piazza della Cisterna.* Der schönste Platz der Stadt wurde nach dem 1273 errichteten Brunnen benannt. Seine zauberhafte Atmosphäre kann man am besten früh morgens oder spät abends spüren. Gleich hinter der Piazza wartet mit dem *Domplatz* ein weiteres Glanzstück des Ortes. An der Frontseite des 1288 fertiggestellten **Palazzo del Popolo* öffnet sich eine der ältesten Loggien der Toskana. Die Höhe des Palastturmes von 54 m durfte von keinem anderen übertroffen werden. Der Aufstieg lohnt sich schon wegen des schönen Panoramas, das man jedoch auch (fast genauso gut) gratis von der *Burg,* der *Rocca* (14. Jh.) aus genießen kann.

Einmalig in der **Collegiata Santa Maria Assunta* sind die „Bibeln des Volkes": Die fast vollständig erhaltenen Fresken vermitteln einen Eindruck von den mittelalterlichen Bilderzyklen. Im rechten Seitenschiff finden sich Themen des Neuen, im linken Szenen des Alten Testaments von Sieneser Malern des 14. Jahrhunderts.

Vom Domplatz schlendert man durch die *Via S. Matteo* vorbei an charakteristischen Häusern und Türmen zur gotischen Bettelordenskirche **Sant'Agostino.* Die Hauptchorkapelle überrascht mit 17 Fresken aus dem Leben des hl. Augustinus von *Benozzo Gozzoli.*

Eine Skyline wie Manhattan – San Gimignano

Man sollte den Tag in San Gimignano auf der *Piazza della Cisterna* ausklingen lassen, am besten bei einem Glas des bekannten lokalen Weißweins Vernaccia di San Gimignano.

APT, Piazza del Duomo 1, (05 77) 94 00 08, Fax 94 09 03.
in Poggibonsi.
Leon Bianco, Piazza della Cisterna 13, 94 12 94, Fax 94 21 23. Am schönsten Platz der Stadt gelegen. $
in Santa Lucia, 1,5 km außerhalb, kleinerer Platz, April–Mitte Oktober.
Dorandò, Vicolo dell'Oro. Angenehm intimes Restaurant. $
Griglia, Via S. Matteo 14. Grillspezialitäten auf Aussichtsterrasse. $
Veranstaltungen: Jeden Donnerstag: Markt auf der Piazza della Cisterna.
Tips: Verbilligte Sammeleintrittskarten für alle städtischen Museen (März–Okt. Di–So 9.30–19.30; Nov.–Febr. 9.30–13.30, 14.30 bis 16.30 Uhr, Mo geschlossen [Museo Civico, Torre]).

Einer der 13 Geschlechtertürme

Ein Abstecher führt von San Gimignano nach

***Colle di Val d'Elsa** (233 m; 17 500 Einw.), vielleicht die netteste der kleineren mittelalterlichen Burgstädte in der Toskana. Der Reichtum der Bürger erlaubte den Bau der zahlreichen Paläste. Schon seit etruskischer Zeit wurden die Mineralvorkommen der Gegend ausgebeutet, im Mittelalter kamen Woll- und Seidenindustrie sowie – die Elsa lieferte das nötige Wasser – die Papierherstellung hinzu. Die besonders gute Qualität des Papiers ließ in dem kleinen Colle 1478 eines der ersten Buchdruckzentren Italiens enstehen. Auch die Glasindustrie ist hier im „Böhmen Italiens", wie der Beiname Colles lautet, heimisch. Heute liegt das betriebsame, industrielle Colle in der Unterstadt, der **obere Stadtteil* konnte so seinen geschlossen mittelalterlichen

Der schönste Platz der Stadt – die Piazza della Cisterna

2
Seite 65

Charakter bewahren. Die eindrucksvollen Festungsmauern aus dem 16. Jh. schützten an der **Porta Nuova* den Zutritt zum *Borgo,* der Vorstadt.

Das eigentliche Kastell betritt man durch den **Palazzo Campana,* der mit seiner reich gegliederten Fassade als typisches Beispiel der Architektur im 16. Jahrhundert gilt. Man sollte einfach durch die mittelalterlichen Gassen schlendern, die strengen Wohntürme und die zahlreichen Renaissance-Palazzi bewundern und immer mal wieder die herrliche Aussicht genießen. Besonders charakteristisch ist im übrigen die ganz überwölbte *Via delle Volte!*

Seite 65

In der Unterstadt überrascht ein sehr moderner, auffällig roter Bau. Den äußerst kühnen Entwurf für die Filiale der *Bank Monte dei Paschi* errichtete der Pistoieser Architekt Michelucci inmitten alter Papier- und Wollwerke!

ⓘ Pro loco bei der Gemeinde,
Via Campana 18, 53034 Colle di Val d'Elsa, ☎ (05 77) 92 27 91,
FAX 92 26 21.
Zug nach Poggibonsi.

Ⓗ **Arnolfo,** Via Campana 8,
☎ 92 20 20, FAX 92 23 24. Nach dem Bildhauer und Architekten Arnolfo di Cambio benannt, mitten im Zentrum in einem mittelalterlichen Palast. $$
La Vecchia Cartiera, Via Oberdan 5/9,
☎ 92 11 07, FAX 92 36 88. Hotel in einem Papierwerk des 13. Jhs. $$
Ⓡ **Arnolfo,** Piazza S. Caterina 1.
Für höchste Ansprüche. $$$
L'Antica Trattoria, Piazza Arnolfo 23.
Spitzenrestaurant. $$$
Tip: Hübsche Mitbringsel aus Glas findet man in der Via del Castello 32.

Die Landschaft entlang der Straße nach Volterra bezaubert durch ihre oft herbe Schönheit, die bereits auf

****Volterra** (555 m; 12 300 Einw.) einstimmt. Schon von weitem sichtbar dominiert der Hügel die Flußtäler der Cecina und der Era. Diese günstige geographische Lage wählten die Etrusker für eine ihrer bedeutendsten Städte, *Velethri,* das zum mächtigen Bündnis der zwölf Republiken gehörte. Im Mittelalter entstand im 12. Jh. eine freie Kommune. 1361 geriet die Stadt unter florentinische Herrschaft, die sie trotz mehrerer Aufstände nicht mehr abschütteln konnte. Ein Besuch Volterras lohnt sich nicht nur wegen seines mittelalterlichen Stadtbildes, sondern auch wegen der Betriebe, die die antike Kunst der Alabasterverarbeitung seit dem 18. Jh. wiederbelebten. Die **Piazza dei Priori* besticht durch ihren strengen, herben Charakter, der heute noch typisch für viele Straßenzüge ist. Der *Palazzo dei Priori* ist der älteste erhaltene Kommunalpalast der Toskana (Bauzeit 1208–1254) und diente als Modell für den Palazzo Vecchio in Florenz. Sehenswert sind das *Vestibül* mit den Wappen der Podestà sowie die *Prunkräume* im ersten Stock.

Nur wenige Schritte geht man zum romanischen ***Dom.* Das dreischiffige Innere verlor seinen romanischen Charakter jedoch im 16. Jh. durch den Einzug der prächtigen Kassettendecke. Zu den Meisterwerken romanischer Holzbildhauerei zählt die „Kreuzabnahme" im rechten Querschiff aus dem 13. Jh. mit ihrer eindringlichen einfachen Gestik. Die wunderschönen Reliefs der *Kanzel* sowie die beiden hübschen Terracotta-Gruppen in der *Cappella dell'Addolorata* mit dem Fresko „Anbetung der Könige" von *Benozzo Gozzoli* verdienen einen Blick.

Über 600 Graburnen, eine der wichtigsten Sammlungen überhaupt, bewundert man im ***Museo Etrusco Guarnacci* (🕓 im Winter 9–14 Uhr, 16. März bis 15. Okt. 9–19 Uhr; dt. Begleittexte). Sie geben einen einmaligen Einblick in die Kunst der Etrusker. Die berühmte Urne des Ehepaars („Urna degli sposi") zeigt, zu welchem Realismus etruskische Künstler in späterer Zeit fanden. Die nicht minder berühmte 60 cm hohe bronzene Votivstatue erhielt von D'Annunzio den romantischen Namen „Abendschatten".

Dominiert wird Volterra am höchsten Punkt von der *Fortezza,* einem der großartigsten Beispiele für die Militärarchitektur der Renaissance. Ganz oben am Hügel, im *Archäologischen Park,* der sich an der Stelle der etruskischen Akropolis befindet, kann man heute einfach nur im Gras liegen.

Beherrscht wird Volterra von seiner Fortezza

2

Seite 65

Aus römischer Zeit stammt der obere Teil des etruskischen Stadttors **Porta all'Arco*. Die mächtigen Quadersteine unten sind ein Relikt des etruskischen Baus aus dem 4. Jh. v. Chr. In der Straße zum Tor kann man auch in einige der Alabasterwerkstätten schauen; Ausstellungen in der Via Turazza und auf der Piazza dei Priori. Durch die *Porta Fiorentina* gelangt man zum Römischen Theater aus augusteischer Zeit und den *Badeanlagen* aus dem 3. Jh.

Über die Kunst der Etrusker informiert das Museo Etrusco

ℹ Via Giusto Turazza 2, 56048 Volterra, ☎ ℻ (05 88) 8 61 50.
Bahn in Saline di Volterra nach Pisa.
Bus nach Pisa und San Gimignano.

Hotel San Lino, Via S. Lino 26, ☎ 8 52 50, ℻ 8 06 20. Sehr komfortables Hotel in den Gebäuden eines ehemaligen Konvents. $$–$$$
Hotel Etruria, Via Matteotti 32, ☎ ℻ 8 73 77. Familiäre Atmosphäre in einem Hotel mit etruskischen Resten. $$
Le Balze, 1 km außerhalb, hübsch und schattig.
Etruria, Piazza dei Priori 6/8. Wildspezialitäten in einem alten Palast. $$
Beppino, Via delle Prigioni 15/19. Toskanische Hausmannskost. $

Aus der Römerzeit stammen das Theater und die Badeanlagen

Veranstaltungen: April bis Juni: „Primavera Musicale Volterrana“, Sonntagskonzerte im Teatro Persio Flacco.
Tips: Verbilligte Sammeleintrittskarte für die Pinakothek im Palazzo Minucci Solaini (🕓 wie Museo Etrusco), das Museo di Arte Sacra (🕓 Winter 9–13, Sommer 9.30–13, 15–18.30 Uhr) und das Museo Etrusco.

Route 3

Badestrände und Berggipfel

Durch die vom Massentourismus völlig unberührte Lunigiana führt die Strecke (122 km) von Pontremoli über Carrara und Massa nach Pietrasanta. Es besteht jedoch auch die Möglichkeit, hinter Aulla die Küstenstraße von Marina di Carrara über Viareggio nach Torre del Lago Puccini zu fahren.

3 Seite 65

Pontremoli (236 m; 8700 Einw.), südlich des Cisa-Passes, stellt wie schon im Mittelalter dank seiner Lage an der Frankenstraße auch heute noch das Tor zur Toskana dar. Die Altstadt liegt malerisch auf einer Landzunge am Zusammenfluß von Magra und Verde.

Wie heftig der Parteienstreit im Mittelalter auch hier tobte, läßt sich noch an den beiden Türmen (einer ist heute Campanile der Kathedrale) in der Stadtmitte erkennen. Sie gehörten zu einer Mauer, die Castruccio Castracani 1322 errichten ließ, um den guelfischen, oberen Teil von dem ghibellinischen, unteren Stadtteil zu trennen. Cacciaguerra – „vertreib den Krieg" – lautete der Name der Befestigung.

Für den mühsamen Aufstieg zum Kastell belohnt das in der Toskana einzigartige *Stelen-Museum* (Ⓛ Di–So Juni–Sept. 9–12 und 16–19, Okt.–Mai 9–12 und 14–17 Uhr). Diese Statuen, deren älteste aus der Zeit um 2000 v. Chr. stammt, findet man in Italien sonst nur noch in den Alpentälern im Norden. In der Lunigiana hielt sich der archaische Kult jedoch besonders lange. In einer Inschrift aus dem Jahre 752 kann man noch immer von der Zerstörung der Idole und der Bekehrung der Heiden lesen.

Etwas fremd für die Toskana, wo man üblicherweise in Bars schnell seinen Espresso trinkt, muten die beiden Kaffeehäuser auf dem hübschen unteren Hauptplatz an, das „Caffè Bellotti" und das „Caffè degli Svizzeri" mit seiner hervorragenden Pasticceria gleich daneben. Der Name „Kaffeehaus der Schweizer" erklärt den Ursprung dieser Kultur: Anfang des 19. Jhs. wanderten Engadiner auf der Suche nach Arbeit in die Lunigiana aus.

Pontremoli ist im übrigen der ideale Ausgangspunkt für Exkursionen auf die umliegenden Berggipfel, z. B. zum Dreiregioneneck (Foce dei tre confini), wo auf 1408 m Emilia-Romagna, Ligurien und die Toskana zusammentreffen. Ein Tip für Wanderfreunde ist der Führer „Lunigiana Trekking", der auch Mountainbikefahrern und Pferdefreunden Informationen bietet.

Ⓗ **Agriturismo Costa D'Orsola,** ☎ 📠 (01 87) 83 33 32. Herrlich gelegener, mittelalterlicher Borgo (1,5 km) außerhalb im Grünen. Ⓢ
Ⓡ **Bussè,** Piazza Duomo 31. Typische Spezialitäten der Gegend. Ⓢ

Mit einmaligem Blick auf die 1800 m hohen Berggipfel fährt man auf der Straße Nr. 62 über *Pieve di Sorano* nach

Villafranca in Lunigiana (138 m; 4800 Einw.). Vom Kastell der Malaspina, der mächtigsten Adelsfamilie der Gegend, blieb nur die malerische Ruine. Im *Museo Etnografico della Lunigiana* (Ⓛ Di–So 9–12, 15–18, im Sommer 9 bis 12, 16–19 Uhr), das am Rande der größtenteils im Krieg zerstörten Altstadt liegt, erhält man einen guten Eindruck vom Alltag der Menschen vergangener Jahrhunderte.

⚠ **Il Castagneto,** Ortsteil Pontedonico: Mai–Sept. und Ostern, Schwimmbad in der Nähe.

Wer kleine mittelalterliche, vom Tourismus fast unberührte Orte liebt und zudem noch ein Freund von Burgen ist, kommt in der Lunigiana praktisch überall auf seine Kosten, er braucht nur zu wählen. So empfangen *Malgrate, Bagnone* oder *Castiglione* den Reisenden mit einer Bilderbuchsilhouette. Über die größte Stadt der Lunigiana, das im Zweiten Weltkrieg stark zerstörte *Aulla*, erreicht man das Meer und ★*Fosdinovo* – ein kleiner Umweg, der sich lohnt: Hier liegt eine der schönsten *Malaspina-Festungen*, die wundervolle Aussicht reicht bis zum Golf von La Spezia! (🕓 tgl. außer Di Führungen um 10, 11, 16, 17, 18 Uhr, ☏ 01 87/6 88 91)

Badespaß am Lido di Camaiore

Das Tor zur Toskana – Pontremoli

Die Küstenregion, die von Cinquale bis zum Lago di Massaciuccoli als *Versilia* bezeichnet wird, gehört mit ihren weiten Sandstränden, ihrem weitgehend sauberen Wasser, den erfrischenden Pinienwäldern und den Apuanischen Alpen im Hintergrund zu den beliebtesten Badegebieten des Tyrrhenischen Meeres. In allen Küstenorten, von *Marina di Carrara* über *Marina di Massa, Cinquale, Forte dei Marmi, Marina di Pietrasanta, Lido di Camaiore* und *Viareggio* gibt es Wassersportmöglichkeiten, Nightclubs und Diskos, Restaurants und Hotels sämtlicher Preisklassen sowie zahlreiche Campingplätze. *Forte dei Marmi* und *Viareggio* – wegen seines berühmten Karnevals auch im Winter ein gefragtes Reiseziel – zählen zu den mondäneren, seit Anfang des Jahrhunderts bekannten Badeorten.

ℹ APT, 54037 Marina di Massa, Lungomare Vespucci 23, ☏ (05 85) 24 00 46, FAX 86 90 15, Auskünfte unter ☏ 24 00 63; Informationsbüros in: 54036 Marina di Carrara, Viale Galilei 133, ☏ (05 85) 63 22 18; 54030 Cinquale, Via Grillotti, ☏ (05 85) 8 08 75 (nur im Sommer). APT della Versilia: Viale G. Carducci 10, 55049 Viareggio,

Die Apuanischen Alpen sind bekannt für ihren Marmor

3

Seite 65

☏ 05 84/96 22 33, 📠 4 73 36.
Informationsbüros in: 55042 Forte dei Marmi, Via Franceschi 8/B,
☏ (05 84) 8 00 91, 📠 8 32 14;
55044 Marina di Pietrasanta, Via Donizetti 14, ☏ (05 84) 2 03 31,
📠 2 45 55; 55043 Lido di Camaiore, Viale Colombo 342,
☏ (05 84) 61 73 97, 📠 61 86 96.
🚆 an der Küste entlang in Carrara-Avenza, Massa, Forte dei Marmi-Querceta, Pietrasanta, Camaiore Lido, Viareggio, Torre del Lago Puccini.
⚠ Marina di Massa, Lido di Camaiore, Viareggio: alle in Meeresnähe.

3

Seite 65

Sozusagen in zweiter Reihe, direkt am Rande der Apuanischen Alpen mit ihren schneeweiß glitzernden Gipfeln, liegen die zu den Badeorten gehörenden Städte Carrara, Massa, Pietrasanta und Camaiore. Den ausgedehnten, qualitätsvollen Marmorvorkommen der Apuanischen Alpen verdankt

Carrara (100 m; 67 000 Einw.) seine weltweite Berühmtheit und die einmalige Kulisse. Schon in der Antike wurde hier Marmor für die Tempel und Statuen Roms gebrochen. Mit Carrara-Marmor schmückten die Italiener im Mittelalter ihre Kirchen, und Michelangelo kam persönlich – wie auch Henry Moore –, um sich die Blöcke für seine Skulpturen auszusuchen. Heute gehört Carrara zu den wichtigsten Marmorexporteuren der Welt mit über 800 000 t pro Jahr. Ein Besuch der Marmorbrüche ist ein eindrucksvolles Erlebnis und gehört ebenso zur Besichtigung der Stadt wie die des *Museo Civico del Marmo di Carrara* (Viale XX Settembre, 🕓 tägl. außer So 10 bis 17 Uhr, im Sommer länger).

🚆 in Avenza.
Ⓡ **Gargantou,** Via Luni 4, Avenza,
☏ 05 85/5 26 69. Typische Gerichte der Gegend, vor allem zwischen Steinen gereifter Speck. Ⓢ

Von Carrara aus kann man herrliche Ausflüge in die Apuanischen Alpen unternehmen, die 1985 fast gänzlich unter Naturschutz gestellt wurden. Eine Fahrt bis auf 1320 m Höhe nach *Campo Cecina* (Straße Nr. 446 d) belohnt mit einem atemberaubenden **Panorama* vom Golf von La Spezia bis Livorno, und mit Glück kann man an klaren Tagen sogar Korsika sehen!

Massa (65 m; 67 000 Einw.), die Hauptstadt der Provinz, besitzt wie Carrara nur eine kleine Altstadt um die hübsche *Piazza degli Aranci.* Über der Stadt erhebt sich die eindrucksvolle *Renaissance-Burg* der Malaspina. Die Adelsfamilie wußte schon, wie man angenehm lebt! Heute besichtigt man die Burg nur bei Ausstellungen, dafür bei Fackelschein bis Mitternacht!

Hinter Massa, in *Seravezza,* wartet das Besucherzentrum des *Naturparks Apuanische Alpen,* das Touren zu Fuß oder zu Pferd in den Park organisiert (ℹ Pro loco, 55047 Seravezza, Via C. Del Greco 11, ☏ 05 84/75 73 25, 📠 75 61 44).

Pietrasanta (14 m; 25 000 Einw.) überrascht den Besucher im Zentrum der Altstadt mit der **Piazza del Duomo,* an der die Hauptsehenswürdigkeiten liegen. Neben dem auffallend roten *Campanile* zieht der im 13. Jh. begonnene *Dom* aus Marmor den Blick auf sich. Marmor heißt überhaupt seit Jahrhunderten das Zauberwort in Pietrasanta. Im Inneren des Doms belegen die Werke des in Pietrasanta geborenen Bildhauers *Stagio Stagi* (1496 bis 1563) diese lange Tradition.

Auch eines der interessantesten Museen des Ortes hat mit Marmor zu tun: das *Museo dei Bozzetti* im Kreuzgang des Klosters *Sant'Agostino* – neben der gleichnamigen Kirche mit den eleganten Rundbögen (🕓 Okt.–Mai Di bis Do, Sa 9–12, 14.30–19, Fr 14.30–19, 21–23.30 Uhr; Juni + Sept. Di–Sa 16 bis 19; Juli + Aug. Di–So 18–20, 21 bis 24 Uhr). Es zeigt ca. 200 Modelle und Studien vieler Bildhauer, die aus aller Welt in diese Gegend kommen. Interessant sind die Werkstätten, in denen viele berühmte Künstler wie Botero ihre Skulpturen ausführen lassen.

Ein besonderes Werk *Boteros* wartet in der Kirche *San'Antonio Abate* (Via Mazzini). Die Fresken mit den Themen „Himmel und Hölle" wurden von dem kolumbianischen Künstler in seiner charakteristischen Art, kleine, dickliche Figuren zu malen, ins 20. Jh. übertragen. An der *Piazza Statuto* (Parkplatz) kann man sich im Haus Nr. 7 mit leckeren *Focacce,* flachen Brötchen, stärken. Ebensolche und *Cecina* (eine flache Torte aus Kichererbsenmehl) findet man in dem netten Lokal **Vicolo degli Artisti** (Via Stagi 68).

Von Viareggio fährt man an der Küste nach *Torre del Lago Puccini* am *Lago di Massaciuccoli.* Direkt am Seeufer liegt die *Villa von Giacomo Puccini* (🕓 im Sommer Di–So 10–12, 15.30 bis 18 Uhr, im Winter kürzer), in der er die meisten seiner Werke komponierte und in der er auch begraben ist. Bei einem Spaziergang am Ufer kann man eintauchen in die morbide Schönheit des Sees, in die „sumpfig-marine Luft", die Puccini so faszinierte.

🚆 nach Lucca, Pisa, Massa.
⛺ insgesamt sechs in Seenähe.

Wer noch nicht ins nahegelegene Lucca oder Pisa möchte, kann wieder in die Berge fahren und einen Ausflug in die vom Tourismus noch wenig berührte *Garfagnana* unternehmen.

Man folgt dem Lauf des Serchio zum schönsten Ort dieser Gegend,

Barga (410 m; 10 100 Einw.). Malerisch zieht sich die mittelalterliche Altstadt den Hügel hinauf, ganz oben gekrönt vom romanischen **Dom.* Hier bewundert man die herrliche Aussicht sowie ein Meisterwerk der Bildhauerei des 13. Jhs.: die am besten erhaltene Kanzel vor der Zeit Niccolò Pisanos.

🏨 **Villa Libano,** Via del Sasso 6, ☎ (05 83) 72 37 74, 📠 72 41 85. Angenehmes Ambiente, familiäre Atmosphäre in einem Haus des 18. Jhs. $
Tip: Anfang August Festa del Centro Storico, kulinarische Stände, Musik und Tanz, u. a. Barga-Jazz.

Dickliche Figuren sind das Markenzeichen des kolumbianischen Künstlers Botero

Das malerische Barga

3

Seite 65

Die Lunigiana

Die Landschaft, die das Tal der Magra und ihre Zuflüsse umfaßt, bekam ihren Namen von der römischen Kolonie Luna. Von ihr blieb das romantische Amphitheater im *Ausgrabungsgelände Luni* erhalten.

Im Mittelalter herrschten in dieser Grenzregion zwischen Emilia-Romagna, Toskana und Ligurien viele kleine Adelsfamilien. Sie kontrollierten Reisende, die auf der Frankenstraße – dem bedeutendsten Verkehrsweg des Mittelalters nach Rom – ihr Gebiet durchquerten. Die Burgen, die nirgends in der Toskana so zahlreich sind, zeigen klar, daß jeder an den Zöllen und den nicht immer freiwillig gezahlten Abgaben mitverdienen wollte. Die Raubritter lassen grüßen!

Route 4

Badereise mit Kultur

Als *Etruskische Riviera* bezeichnet man die Badegebiete unterhalb *Livornos*, dem Ausgangspunkt dieser Route (403 km). Auch im Hochsommer ist es hier noch nicht so überfüllt wie an der Küste der Versilia. Nette Buchten vor felsiger, macchiabewachsener Küste bestimmen das Bild. Über Rosignano Marittimo, Massa Marittima und Grosseto geht es nach Ansedonia in die Maremma, wo kilometerlange Sandstrände vor ausgedehnten Pinienhainen liegen.

4

Seite 77

Livorno (3 m; 165 800 Einw.), das Tor der Toskana zu den Weltmeeren, wurde als Hafenort von den Pisanern gegründet. Seine rasante Entwicklung zu einem der wichtigsten Häfen des Mittelmeeres begann jedoch erst unter der Herrschaft der Medici, die Festungen, Plätze und Kanäle anlegten. Livorno entstand 1575 als fünfeckige, von Buontalenti geplante Idealstadt der Renaissance praktisch neu. Seine Ideen kann man anhand des Stadtplans noch nachvollziehen, trotz der starken Zerstörungen von 1943. Heute kennzeichnen die bedeutende Industriestadt weite Plätze wie die *Piazza della Repubblica*. Von dort spaziert man über die *Via Grande* mit ihren eleganten Laubengängen, über die *Piazza Grande* mit dem Dom zur *Piazza Micheli* am alten Hafenbecken. Hier steht das berühmteste Denkmal Livornos, Großherzog Ferdinand I. mit den *vier Mohren* am Sockel. Zwischen *Fortezza Vecchia* und *Fortezza Nuova* lädt das pittoreske Viertel *Quartiere Veneziano zum Bummeln ein.

ℹ APT, 57100 Livorno, Piazza Cavour 6, ☎ (05 86) 89 81 11, Fax 89 61 73; Informationsbüros im Porto Mediceo, ☎ 89 53 20, und an der Stazione Marittima Calata Carrara, ☎ 21 03 31 (beide 1. Juni–30. Sept.).
Bahn nach Genua, Rom, Pisa, Florenz.
Bus in die Umgebung.
Hotel **Gran Duca,** Piazza Micheli 16, ☎ 89 10 24, am Hafen, guter Komfort, im Inneren einer Medici-Festung. $$
Camping in Antignano am Meer (Mai–Sept.) und Montenero in den Hügeln.
Restaurant **Aragosta,** Piazza dell'Arsenale 6. Bekannt für die Fischsuppe „Cacciucco". $
La Barcarola, Viale Carducci 63. Hervorragende Fischsuppe. $

Für diese Route folge man der bereits von den Römern errichteten alten Via Aurelia (SS 1). Auf den kleinen Badeort *Quercianella* folgt zunächst das hübsch gelegene, gepflegte Seebad *Castiglioncello*. Von *Rosignano Solvay,* dessen Industriekomplex fast surreal in dieser lieblichen Gegend anmutet, lohnt ein Abstecher nach

Rosignano Marittimo (147 m; 30 000 Einw.). Es bietet ein herrliches Panorama und ein Kastell aus dem 13./14. Jh. mit einem *Archäologischen Museum,* das als Basis für die Besichtigung der Ausgrabungen in der Umgebung dient.

ℹ 57016 Rosignano Marittimo, Via Gramsci 7, ☎ 79 29 73 (1. Juni–30. Sept.).

Richtung Süden folgen an der Küste die Orte *Vada, Marina di Cecina* und *Forte di Bibbona* jeweils mit Resten von Medici-Festungen.

ℹ Vada, Piazza Garibaldi 93, ☎ (05 86) 78 83 73.
Camping mehrere in Vada, Marina di Cecina, Marina di Bibbona, alle am Meer.

Hinter *Forte di Bibbona* macht man einen Ausflug auf der längsten Zypressenallee Italiens (4,8 km) zu dem ganz mittelalterlich geprägten *Bolgheri.* Hier verlebte der italienische Dichter und Nobelpreisträger *Giosuè Carducci* (1835–1907) von 1838 an seine Jugendjahre. Zypressen und Ort verewigte er in seinen zahlreichen

Gedichten. Überall im Ort werden kleine Imbisse („merende") angeboten, zu denen man den hervorragenden Weiß- und Rotwein trinkt.

Marina di Castagneto-Donoratico (6 m) ist mit seinem flach abfallenden, kinderfreundlichen Strand ideal für Ferien mit der Familie.

🛈 57024 Marina di Castagneto, Via della Marina 8, ☏ (05 65) 74 42 76 (1. Juni–30. Sept.).
Ⓗ **La Torre di Donoratico,** Ortsteil La Torre, ☏ 🖷 (05 65) 77 52 68. Im Pinienhain mit Aussicht aufs Meer, Restaurant. Ⓢ
⚠ vier Plätze in Strandnähe.

Vom Meer führt eine landschaftlich äußerst reizvolle Strecke ins unmittelbare Hinterland. Inmitten waldreicher Hügel – daher auch im Sommer angenehm kühl – liegen noch einige ganz mittelalterlich geprägte Städtchen. Zunächst gelangt man nach *Castagneto Carducci* (auch hier lebte Carducci, s. S. 76) mit einer *Adelsburg*, herrlichem Blick auf die umgebenden Hügel und die sich zum Meer ausbreitende Ebene. Eine sehr kurvenreiche, aber gut gepflegte Straße mit wunderschönen Ausblicken führt durch Kastanienwälder über den Burgort Sassetta nach **Suvereto*. Das geschlossen mittelalterliche Stadtbild überrascht ebenso wie die romanische Kirche *San Giusto*, in der man noch die seltenen Alabasterfenster bewundern kann.

Am Rande der Ebene des Flusses Cornia entlang fährt man weiter nach

Campiglia Marittima (214 m; 12 600 Einw.) mit Pisaner *Festung* aus dem 12./13. Jh,. einem mit vielen Wappen geschmückten *Palazzo Pretorio* und der romanischen *Pieve San Giovanni* (im Friedhof gelegen).

🛈 57021 Campiglia Marittima, Via Roma, ☏ (05 65) 83 89 58 (1.6.–31.9.).
🚆 nach Piombino.
Ⓡ **Dal Cappellaio Pazzo,** Via di S. Vincenzo, ☏ 83 83 58. Der Name „Verrückter Hutmacher" stammt von der

4
Seite 77

eigenwilligen Hutsammlung an den Wänden; gutes Restaurant. $
⛺ absolut ruhig im Olivenhain.

San Vincenzo (5 m; 7100 Einw.), einer der belebtesten Badeorte der Etruskischen Riviera, bietet gute touristische Einrichtungen und Vergnügungsmöglichkeiten, ja sogar etwas Nachtleben!

ℹ 57027 San Vincenzo, Via B. Alliata, ☏ (05 65) 70 15 33.
🏨 **Riva degli Etruschi,** V. d. Principessa 120, ☏ 70 23 51, 📠 70 40 11, ruhiges Ambiente. $$
🍴 **Gambero Rosso,** Piazza della Vittoria 13: absolutes Spitzenlokal. $$$
⛺ im Pinienhain 800 m vom Meer.

4

Seite 77

Von San Vincenzo lohnt der Abstecher durch Pinien- und Steineichenwälder zum wunderschönen *Golf von Baratti.* In die sehenswerten **etruskischen Grabhügel* kann man sogar hineinkriechen. Da macht selbst Kindern die Archäologie Spaß! Vom Kastell des Städtchens *Populonia* genießt man die herrliche Aussicht aufs Meer. Interessierte finden auch ein kleines *Archäologisches Museum.* Die Funde lagen unter etruskischer Eisenschlacke begraben, die bei der Verhüttung des aus Elba gelieferten Roheisens anfiel, und blieben daher besonders gut erhalten. Auch heute spielt die Eisenverarbeitung in dieser Gegend noch eine bedeutende Rolle, wie man nur wenige Kilometer weiter in *Piombino,* dem Zentrum der Schwerindustrie der Toskana, sehen – und riechen! – kann. Tägliche Fährverbindungen nach Elba.

ℹ 57025 Piombino, Piazzale Premuda, ☏ (05 65) 27 64 78 (1.6.–31.9.).
⛺ vier Plätze in Riotorto, einer im Ortsteil Sant'Albinia.

Über *Torre Mozza* kommt man nach *Follonica,* einen modernen, in einem herrlichen Pinienwald gelegenen Badeort in der eigentlichen Maremma.

ℹ APT 58022 Follonica, Viale Italia, Palazzo Tre Palme, ☏ (05 66) 4 01 77.
⛺ zwei Plätze in Meeresnähe, Ende Mai/Anfang Juni bis September.

Ein Muß für jeden Toskana-Besucher ist ein Ausflug von Follonica nach

***Massa Marittima** (380 m; 9300 Einw.). Wer einmal im „Wohnzimmer" der Stadt, der zentralen Piazza, bei Sonnenuntergang einen Cappuccino getrunken hat, kommt sicher wieder! Die Stadt verdankt ihren Aufstieg im 9. Jh. der Verlegung des Bischofssitzes von Populonia auf diesen sicheren Hügel sowie den Mineralienvorkommen der *Colline Metallifere* in der Umgebung. Im 16. Jh. leitete die Malaria den Niedergang Massa Marittimas ein, der erst im 19. Jh. durch die Trockenlegung der Sümpfe und die Wiederinbetriebnahme der Bergwerke aufgehalten wurde. Dieser langen Phase der Not verdankt die Stadt, daß ihr hinreißender Charakter erhalten blieb: Die untere *Città Vecchia* prägten das 11. bis 13., die obere *„Neustadt"* das 13. und 14. Jh. Später war kein Geld mehr für Um- und Neubauten vorhanden!

Kaum ein Platz der Toskana ist so spektakulär wie die **Piazza Garibaldi. Logge del Comune,* der *Palazzo Comunale* gegenüber, *Palazzo del Podestà* und **Dom* – ein vollendetes Ensemble umrahmt die Piazza. 1228 begann man den Dom im Pisaner Stil, vollendet wurde er im 14. Jahrhundert gotisch. Die Kirche verdient außen und innen einen Blick; das Taufbecken von *Giroldo da Como* (1267) besteht aus einem einzigen Travertinblock. Im *Palazzo del Podestà* besucht man das Archäologische Museum mit Funden aus der Umgebung und die *Pinakothek,* die im wesentlichen aus einer Madonna von *Ambrogio Lorenzetti* besteht (🕓 tägl. außer Mo 1. Apr. bis 30. Sept. 10–12.30, 15.30–19 Uhr; 1. Okt. bis 31. März 10–12.30, 15 bis 17 Uhr). In der „Neustadt" beeindrucken die Reste der Sieneser Festung (Aussichtsturm). Interessant ist auch die alte Ölmühle *(Antico Frantoio).* Ein *Bergbaumuseum* sowie ein 700 m langer Museumsstollen *(Museo Miniera)* erinnern an die einst stolze Bergbautradition des Ortes ...

🛈 Ufficio Turistico Alta Maremma Turismo (AMATUR), Via Norma Parenti 22, 58024 Massa Marittima, ☏ (05 66) 90 27 56, 🖷 94 00 95.
Ⓗ **Il Sole,** Via della Libertà 43, ☏ 90 19 71, 🖷 90 19 59. Klassisches, aber einfaches Haus. ($)
Duca del Mare, Via D. Alighieri 1/2, ☏ 90 22 84, 🖷 90 19 05. Schönes Panorama. ($)
Ⓡ **Taverna del Vecchio Borgo,** Via Parenti 12. Typische Küche der Maremma. ($)

Der alte Hafen von Livorno mit seinen Befestigungsanlagen

Badebuchten und ein kilometerlanger Sandstrand direkt vor einem Pinienwald: Die ins Meer vorspringende Landzunge *Punta Ala* ist das nobelste Seebad der Toskana.

Direkt an der Nationalstraße 322 liegt der lebhafte Badeort *Castiglione della Pescaia,* der mit einem pittoresken Hafenkanal und einer mittelalterlichen Oberstadt *(Castiglione Castello)* aufwartet.

Um die Piazza gruppiert sich die Altstadt von Massa Marittima

4

Seite 77

Die Maremma

Der Name (von „Marittima" – am Meer) bezeichnete nach dem Verfall der etruskischen Entwässerungsanlagen bis ins 19. Jh. ein ungesundes, durch Malaria und Piratenüberfälle entvölkertes Sumpf- und Hügelgebiet. Die durchschnittliche Lebenserwartung der Bevölkerung lag bis 1840 unter zwanzig Jahren! Erst die Trockenlegung der Sümpfe im 19. Jh. ließ die „butteri" (die Cowboys der Toskana) mit ihren Rinderherden zurückkehren.

Der Reiz dieser Landschaft liegt im Kontrast der weiten Ebenen zu den Hügeln des Hinterlandes. Von den hübschen alten Burgstädtchen (z. B. *Montepescali, Magliano in Toscana* oder *Capalbio*) genießt man eine traumhafte Aussicht bis zum Meer.

Das Flair der Maremma, ihre einzigartige Flora und Fauna, lernt man am besten in einem der drei Naturparks kennen (auch Führungen). Auskünfte erteilen zum * *Parco Naturale dell'Uccellina* das Besucherzentrum in Alberese (☏ 05 64/40 70 98), zum *Rifugio Faunistico Lago di Burano* (☏ 05 64/89 88 29) und zum *Rifugio Faunistico Laguna di Orbetello* (☏ 05 64/82 02 97) die Zentrale des WWF Toskana (Via Sant'Anna 3, Florenz, ☏ + 🖷 0 55/47 78 76).

Durch die herrliche *Pineta del Tombolo,* einen sich 10 km an der Küste hinziehenden Schirmpinienwald, und *Marina di Grosseto* mit schönen Sandstränden gelangt man nach

Grosseto (10 m; 71 000 Einw.). Das Zentrum der Maremma weist aufgrund der Kriegszerstörungen ein überwiegend modernes Stadtbild auf. Nur die mächtigen Mauern aus dem 16. Jh. blieben vollständig erhalten. Das *Museo Archeologico e d'arte della Maremma* (Piazza Baccarini), eines der bedeutendsten etruskischen Museen der Toskana, ist allerdings auf nicht absehbare Zeit geschlossen.

4

Seite 77

ℹ Fremdenverkehrsamt APT, Viale Monterosa 206, ☎ (05 64) 45 45 10, FAX 45 46 06; Consorzio Albergatori Grosseto (Hotelbesitzervereinigung), Via Fucini 43, ☎ 41 54 46 oder gratis 167-42 03 25, FAX 41 58 39.
Tip: Fruttero, C./Lucentini, F., „Das Geheimnis der Pineta", ein Krimi, der im Schirmpinienwald in der Nähe Grossetos spielt (Piper, München).

Griechische Atmosphäre in der Toskana? Die Ausgrabungen von **Roselle* liegen so idyllisch zwischen Olivenbäumen, daß man sich auf Kreta glaubt. Die gepflasterten Straßen, die Reste der etruskischen Tavernen und Werkstätten, die 3 km lange Stadtmauer vermitteln ebenso wie das Forum und das Amphitheater der Römer etwas vom Leben der damaligen Zeit. In *Vetulonia* beeindrucken vor allem mehrere prachtvolle **Tumulusgräber.*

Von Grosseto aus führt die Nationalstraße Nr. 1 am wunderschönen **Parco Naturale dell'Uccellina* vorbei. Man sollte es sich nicht entgehen lassen, am völlig unverbauten Sandstrand ein Bad zu nehmen.

Ⓡ **Da Remo,** Rispescia Scalo, Strada Provinciale Alberese. Ausgezeichnetes Fischrestaurant. ($)

In *Albinia* besteht die Möglichkeit, über die Straße Nr. 74 in *Pitigliano* (S. 92) Anschluß an Route 6 zu finden.

Eine reizvolle Rundfahrt mit vielen traumhaften Ausblicken aufs Meer bietet der

Monte Argentario. Heute verbinden die ehemalige Insel (12 km vom Festland) drei sandige Landzungen mit dem Festland. Die hübschen Städte *Orbetello, Porto Ercole* und *Porto S. Stefano* (Fährverbindung zur Insel Giglio) weisen allesamt Überreste spanischer Festungen auf, da der Monte Argentario 1555–1808 zum Gebiet des spanisch beherrschten Stato dei Presidi gehörte. Im Sommer kommen die Römer bis hierher, um zu baden, – ein gutes Zeichen.

ℹ 58015 Orbetello, Piazza del Repubblica, ☎ (05 64) 86 12 26; 5 80 19 Porto S. Stefano, Corso Umberto 55, ☎ 81 42 08.

Im letzten Badeort der Toskana, *Ansedonia,* kann man wieder in Kultur schwelgen. Man besichtigt direkt am Wasser die Überreste der etruskischen und römischen Anlagen von *Cosa.*

Tarot-Skulpturen-Park

Skurriles in der Toskana? Wundersames, Geheimnisvolles, ja Absurdes? In der Maremma liegt bei Capalbio der Tarot-Skulpturen-Park der Künstlerin Niki de Saint-Phalle, ein phantasievolles Gesamtkunstwerk zwischen Architekur und Skulptur. Die 22 Stationen, die den Tarotkarten nachempfunden sind, symbolisieren einen archetypischen Lebensweg. Am Eingang wacht die „Päpstin" als Ausdruck lunaren Wissens, die „Herrscherin", eine mächtige Sphinx mit den gewaltigen Brüsten einer Urmutter ist zugleich Wohnung der Künstlerin. Der umgekehrt „Gehängte", der „Lebensbaum", der „Magier" oder der „Turm" – sie alle schwanken zwischen Kunst und Comic, Poesie und Pop (🕒 Juli/Aug. 15–20 Uhr).

Route 5

Chianti-Land

Wer der Chiantigiana, der Straße Nr. 222, folgt, fährt auf einer der landschaftlich schönsten Strecken der Toskana von Florenz über Strada, Greve, Radda und Castellina nach Siena. Man sollte aber auch immer wieder Abstecher in die Hügel unternehmen, denn dort gibt es auch viel zu entdecken (und zu probieren!). Einsame Bauernhöfe, Zypressenreihen am Kamm der Hügel, weite Panoramablicke, (neu gepflanzte) Olivenhaine und Weinberge – alles, was man von der Toskana erwartet, ist hier vorhanden (132 km)!

Chianti-Weinlese in der Umgebung von Radda in Chianti

Man verläßt Florenz auf der SS. 222 Richtung Süden und erreicht *Grassina.* In Serpentinen führt die Straße hinter dem Ort zur eleganten *Villa Ugolino,* neben der ein 18-Loch-Golfplatz auf Spieler wartet.

Hinter *Strada in Chianti* erhebt sich rechts der mächtige Turm des *Castello di Vicchiomaggio.* Die Villa liegt malerisch von Zypressen umgeben (Übernachtungsmöglichkeit).

In dem alten Bauernhaus an der Zufahrtsstraße kann man den traditionellen Chianti der Villa, aber auch Chardonnay und Cabernet Sauvignon probieren.

Typisch fürs Chianti-Land: Hügel, Weinberge und Gehöfte

Ⓗ Ⓡ **Da Omero,** 50020 Passo dei Pecorai, Via Chiantigiana 40, ☎ FAX (0 55) 85 07 16. Hotel mit traditionellem, toskanischem Restaurant. Ⓗ ($), Ⓡ ($)
Azienda Agricola La Salvadonica, kurz hinter Mercatale, Via Grevigiana 82, ☎ (0 55) 8 21 80 39, FAX 8 21 80 43. Idyllische Bauernhäuser (15. Jh.), gutes Restaurant, Tennis, Schwimmbad, Billard, Reitstall in der Nähe. ($)

Viele kleine Weinhandlungen gibt es in Greve in Chianti

5

Seite 85

Greve in Chianti (236 m; 11 900 Einw.) bietet einen einzigen wunderschönen, asymmetrischen **Platz* mit Laubengängen – und viele kleine Weinhandlungen. In Sachen Wein hat man die Qual der Wahl: Die hervorragenden Weine der Fattoria im von Zypressen umgebenen Renaissance-*Kastell von Uzzano* (Zufahrt kurz vor Greve) munden nach einem Spaziergang im 3 ha großen, festlichen italienischen **Garten* besonders gut. Oder doch lieber Mona-Lisa-Weine? Die von Leonardo verewigte Schönheit wurde in der herrlichen *Villa di Vignamaggio* geboren (Zufahrt hinter Greve). Der Riserva-Wein der Fattoria trägt natürlich ihren Namen, und sogar übernachten kann man hier.

Via Luca Cini 1, 50022 Greve in Chianti, (0 55) 8 54 52 43.
Giovanni da Verrazzano, Piazza Matteotti 28, (0 55) 85 31 89, 85 36 48. Direkt am Hauptplatz. $

Veranstaltungen: 1. Septemberwoche: „Mostra Mercato Vino Chianti Classico", Weinverkaufsmesse.

5 Seite 85

Fast an der Chiantigiana liegt *Panzano*. Fürst Alceo di Napoli Rampolla keltert im *Castello dei Rampolla* (S. Lucia in Faulle) die Cabernet-Rebe, die bisher nur selten in der Toskana verwendet wurde. Der samtige rote Spitzenwein Sammarco besteht zu drei Vierteln aus Cabernet und zu einem Viertel aus der Sangiovese-Traube. Hinter dem Städtchen Panzano besichtigt man die romanische **Pieve San Leolino*. Am Abend wirkt der elegante Portikus noch bezaubernder …

Im Herzen des Chianti-Landes liegt das hübsche Städtchen *Castellina in Chianti*. In den Straßencafés wie im „Il Cantuccio" kann man Stunden verbringen, in der „Antica Trattoria la Torre", direkt vor der *Rocca*, typische Küche des Chianti, besonders empfehlenswert sind die Wildgerichte.

Auf der Chiantigiana erreicht man nun Siena (s. S. 44 ff.). Wer Lust auf noch mehr Chianti hat, fährt aber weiter nach

Radda in Chianti (533 m; 16 500 Einw.). Eine mittelalterliche, von Mauern und Türmen umgebene Altstadt wartet – nicht einzelne Sehenswürdigkeiten, sondern das Gesamtensemble macht den Reiz des Städtchens aus. In der „Fattoria Vignale" (Ortsausgang) wurde 1924 das „Consorzio del Gallo Nero", der Winzerverband, gegründet. Der schwarze Hahn war das Symbol der Chianti-Liga, die seit 1415 ihren Sitz in Radda hat.

Drei Kilometer von Radda führt eine Straße hinauf zum *Castello di Volpaia*. Die traumhaft schöne Lage an den waldreichen Hängen der Chianti-Hügel auf 600 m wird ergänzt durch den mittelalterlichen Charakter des Dorfes und den hervorragenden Wein – zu empfehlen der Bianco Val d'Arbia, ein lebhafter, fruchtiger Weißwein.

Durch eine waldreiche Gegend geht es weiter nach *Badia a Coltibuono*. Die romanische Abteikirche mit ihrem mächtigen Campanile gründeten Mönche im 11. Jh. Die Fattoria kredenzt heute schlanke, elegante Weine, deren Geschmack oft an Erdbeeren oder Kirschen erinnert ($–$$).

Bei *Gaiole in Chianti* genießt man die Landschaft und das *Castello di Spaltenna*. Im ehemaligen Konvent (mit Hotel) befinden sich heute ein Restaurant und eine Weinhandlung. Man kann hier sehr nobel bei Kerzenlicht speisen!

Noch etwas südlicher liegt das wuchtige, sehr eindrucksvolle *Castello di Brolio*, der Stammsitz der Familie Ricasoli (tägl. 9–12, 15–18 Uhr; 05 77/74 71 04). Die Aussicht vom Wehrgang reicht bei klarem Wetter bis zum Monte Amiata und nach Siena.

Der „Vater des modernen Chianti" regierte hier im wahrsten Sinne des Wortes: Bettino Ricasoli (1809–1890) war nämlich auch der erste Premierminister des Vereinigten Königreiches Italien. Und seine Mischung aus roten und weißen Trauben wurde zum klassischen Chianti. Die Riserva del Barone, die mindestens fünf Jahre reift, oder für Weißweinliebhaber der Galestro aus der Chardonnay- und Trebbiano-Rebe sind zwei Tips aus dem Ricasoli-Angebot.

Der Chianti im Test

Bei *Castelnuovo Berardenga* verläßt man das Gebiet des Chianti Classico. Die Landschaft verändert sich, nicht mehr die grünen wald- und macchiareichen Hügel, sondern goldgelbe bis graubraune Farben dominieren: Die Getreideanbaugebiete der Sieneser Crete kündigen sich an. Wer im Sommer unterwegs ist, sollte in dieser Gegend die Konzerte in den Schlössern, Villen und Landkirchen nicht verpassen.

Über die SS. Nr. 73 erreicht man Siena (s. S. 44 ff.).

Tip: „Chianti News“. In dieser Publikation erfährt man in drei Sprachen alles über Restaurants, Unterkünfte, Feste, Weinprobierstuben und Einkaufsmöglichkeiten Erhältlich ist sie in Hotels, Restaurants und Reisebüros.

Der Rohstoff für den Galestro

5

Seite 85

Der Chianti

Das klassische Anbaugebiet des Chianti (sprich: kiànti), des wohl berühmtesten italienischen Rotweins, liegt zwischen Florenz und Siena. 1984 erhielt dieser Wein als Chianti Classico das höchste Gütezeichen in Italien: DOCG („denominazione di origine controllata e garantita“ – kontrollierte und garantierte Ursprungsbezeichnung). Als Markenzeichen wählte sich der Erzeugerverband des Chianti Classico den schwarzen Hahn („Gallo nero“). Bei uns wurde der Chianti vor allem in den großen Strohflaschen bekannt, denen bald ein Billigimage anhing. Experimentierfreudige Winzer verzichteten dagegen in den letzten Jahren deshalb auf die Markenbezeichnung „Chianti DOCG“ und verkauften ihre Weine als „Vino da Tavola“ – natürlich nicht zu den Preisen eines Tafelweins. Der Wein gewann neues Ansehen. Häufig setzen diese Erzeuger gänzlich auf rote Sorten, obwohl die Chianti-Tradition eigentlich einen Anteil an weißen Trauben verlangt (2–5 %). Sie verbanden die Cabernet-Rebe mit der traditionellen Sangiovese-Traube und kreierten so überzeugende, „moderne“ Weine im traditionellen Chiantigebiet, die wieder in Fässern reifen.

Route 6

Wüstenhafte Crete, bewaldeter Amiata

Die Route folgt von Siena der alten Via Cassia, macht Abstecher ins Hügelland zu den Klöstern Monte Oliveto Maggiore oder Sant'Antimo, zu den Weinstädtchen Montalcino oder Montepulciano, zur Idealstadt Pienza, auf den Monte Amiata oder ins Etruskerland um Pitigliano, wo sie endet. Doch immer wieder kehrt man zur SS. Nr. 2 zurück, einer der landschaftlich schönsten Strecken der Toskana. Im August, wenn die großen Strohballen auf den abgeernteten Feldern trocknen und die drückende Luft über den Hügeln flimmert – dann atmet man den Duft des Südens richtig ein (269 km).

6

Seite 85

Man verläßt Siena (s. S. 44) auf der SS. Nr. 2. Am Zusammenfluß von Arbia und Ombrone erreicht man *Buonconvento*. Das ganze Städtchen ist noch vollständig von Mauern umgeben und hat seinen mittelalterlichen Charakter bewahrt. Von hier fährt man zum

Monte Oliveto Maggiore ab (273 m). In diese auch heute noch einsame Gegend zogen sich Sieneser Adelige zurück und gründeten auf dem waldreichen Hügel ein *Benediktinerkloster.* Man besucht die Abtei, um einen der schönsten Kreuzgänge der Toskana zu besichtigen. Farbenpracht, Detailgenauigkeit und die Landschaften im Bildhintergrund verleihen den herrlichen * *Fresken* ihre Anmut.

Die Szenen 1–20 aus dem Leben des hl. Benedikt schuf *Sodoma,* die restlichen *Luca Signorelli.* In dem neuen Verkaufsraum hinter der Kirche kann man ein Fläschchen des ausgezeichneten Klosterlikörs erwerben!

Montalcino (567 m; 7000 Einw.) liegt malerisch an einem Hügel, der sich über den Tälern des Ombrone und des Asso erhebt. Wie auf einer Insel fühlt sich der Besucher, wenn unten im Tal Nebelschwaden den Blick verstellen und man nur weit entfernt andere „Inselhügel“ aus dem Nebelmeer ragen sieht.

Das Panorama, das Montalcino bietet, lohnt den Besuch – für Weinliebhaber ist der Abstecher jedoch ein Muß.

Der Brunello di Montalcino zählt zu den absoluten Spitzenweinen Italiens. Die dunkle („bruno“) Farbe der Sangiovese-Traube gab diesem aromatischen, vollen, ein bißchen rauchigen Wein seinen Namen. Mindestens dreieinhalb Jahre muß der Brunello in Eichenfässern reifen, um das Qualitätssiegel DOCG zu erhalten. Dem keinesfalls zu verachtenden Rosso di Montalcino, der aus der zweiten Wahl gekeltert wird, genügt ein Jahr.

Die wundervolle Aussicht vom Wehrgang der Rocca sollte man vor dem Besuch der gemütlichen Weinprobierstube der Festung genießen! Die toskanischen Brotzeiten schaffen die richtige Unterlage (🕓 im Winter 9–13, 14–18 Uhr, Mo geschl.; im Sommer 9–13, 14.30–20 Uhr).

Nach der Besichtigung der Festung bietet sich noch ein Spaziergang durch die mittelalterlichen Straßen zur zentralen *Piazza del Popolo* an, wo der wappengeschmückte *Palazzo Comunale* aus dem 14. Jh. wartet.

Im Palazzo hat die Winzervereinigung von Montalcino ihren Sitz, die Auskünfte über die verschiedenen Fattorias und ihre Weine gibt (🕓 Mo–Do 8.30–13, 15–18, Fr nur bis 17 Uhr). In die Atmosphäre der Jahrhundertwende taucht man bei einem Cappuccino im „Caffè Fiaschetteria“ ein.

Ein schönes Mitbringsel aus Montalcino – neben dem Brunello – sind die grünweißen Keramiken, die man auch vor der Rocca kaufen kann!

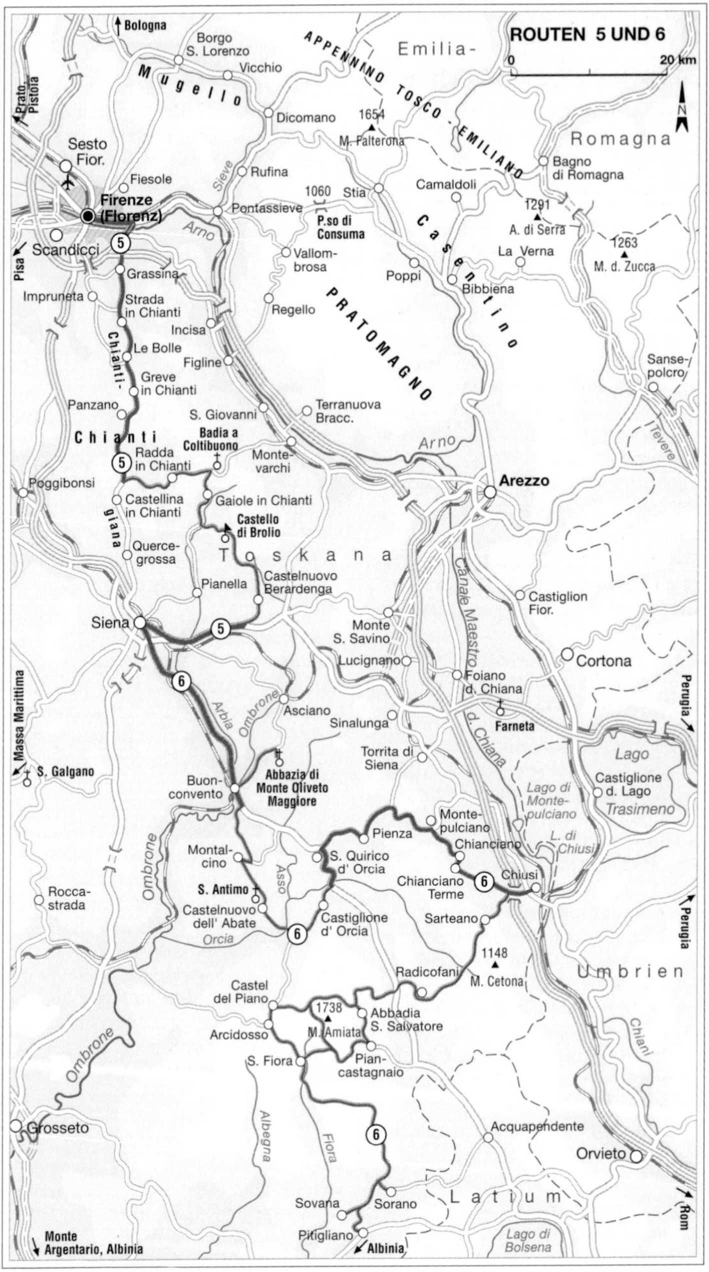

ROUTEN 5 UND 6

0 20 km

N

Bologna
Borgo S. Lorenzo
Vicchio
Emilia-
Romagna
APPENNINO TOSCO-EMILIANO
Prato, Pistoia
Mugello
Dicomano
1654 M. Falterona
Sesto Fior.
Fiesole
Sieve
Rufina
Stia
Camaldoli
Bagno di Romagna
1060
P.so di Consuma
Firenze (Florenz)
Pontassieve
1291 A. di Serra
Arno
Scandicci
Pisa
Casentino
La Verna
1263 M. d. Zucca
Vallombrosa
Poppi
Bibbiena
Grassina
Impruneta
Strada in Chianti
Regello
PRATOMAGNO
Incisa
Chianti-
Le Bolle
Figline
Sansepolcro
Greve in Chianti
Panzano
S. Giovanni
Terranuova Bracc.
Tevere
Chianti
Badia a Coltibuono
Radda in Chianti
Montevarchi
Arno
Poggibonsi
Arezzo
Castellina in Chianti
Gaiole in Chianti
giana
Castello di Brolio
Quercegrossa
Toskana
Canale Maestro d. Chiana
Pianella
Castelnuovo Berardenga
Castiglion Fior.
Siena
Monte S. Savino
Cortona
Lucignano
Foiano d. Chiana
Perugia
Massa Marittima
Arbia
Ombrone
Asciano
Sinalunga
Farneta
Torrita di Siena
Lago
S. Galgano
Buonconvento
Abbazia di Monte Oliveto Maggiore
Lago di Montepulciano
Castiglione d. Lago
Trasimeno
Montepulciano
Pienza
L. di Chiusi
Chianciano
Ombrone
Montalcino
Asso
S. Quirico d' Orcia
Chianciano Terme
Chiusi
S. Antimo
Roccastrada
Castelnuovo dell' Abate
Castiglione d' Orcia
Sarteano
Perugia
Orcia
1148
Radicofani
M. Cetona
Umbrien
Castel del Piano
1738 M. Amiata
Abbadia S. Salvatore
Arcidosso
Chiani
Ombrone
S. Fiora
Piancastagnaio
Albegna
Fiora
Grosseto
Acquapendente
Orvieto
Sovana
Sorano
Latium
Rom
Pitigliano
Albinia
Lago di Bolsena
Monte Argentario, Albinia

6

Seite 85

ℹ Ufficio Turistico Comunale, Costa del Municipio 8, 53024 Montalcino, ☎ 📠 (05 77) 84 93 31.
Il Giglio, Via Soccorso Saloni 5, ☎ 84 81 67. Altes Haus im historischen Zentrum mit Restaurant. ($)
Il Giardino, Via Cavour 4, ☎ 84 82 57. Beim neuen Rathaus, mit Restaurant. ($)
Trattoria Sciame, Via Ricasoli 9. Gute Hausmannskost, toskanische Würste. ($)

Man fährt weiter Richtung *Castelnuovo dell'Abate,* um dort das einzigartige *Kloster Sant'Antimo* zu besichtigen – und vielleicht den einen oder anderen Weinkeller. Hinter Montalcino liegt die *Villa Greppo,* das älteste Weingut der Gegend. Die Familie Biondi-Santi läßt ihre Riserva-Weine auf mindestens 25 Jahre alten Weinbergen reifen!

Etwas weiter zweigt man links zur *„Fattoria Barbi"* ab, ebenfalls ein traditioneller Brunello-Erzeuger. Wein und Produkte der Fattoria genießt man im ausgezeichneten Restaurant des Gutes. Selbst ein alternativer Wein, der etwas rustikale Brusco dei Barbi, wird hier gereicht.

***Sant'Antimo** (318 m) zählt zu den bedeutendsten Abteien des 13. Jhs. in Italien. Einsam, mächtig und stolz liegt das Kloster auch heute noch im Tal, wo es laut Legende von Karl dem Großen gegründet wurde. Die romanische Kirche (12. Jh.) ist sicher eine der schönsten der Toskana. Bei Sonnenlicht funkeln die Onyxsteine der Dekoration fast golden, und auch der verwendete Travertinstein verleiht der Kirche Helligkeit. Der reiche Skulpturenschmuck des Eingangsportals und der Apsiden verdienen besondere Aufmerksamkeit. Die wundervollen Kapitelle der Säulen, einige ebenfalls aus Onyx, sollte man sich eins nach dem anderen anschauen. Ein wahres Meisterwerk ist der „Daniel in der Löwengrube" (zweite Säule rechts).

Direkt an der Via Cassia liegt inmitten weiter Hügel

San Quirico d'Orcia (409 m; 2400 Einw.). Das hübsche mittelalterliche Städtchen besucht man vor allem, um die romanische *Collegiata* zu besichtigen. Den wunderschönen Skulpturenschmuck an den Portalen und den Fenstern sollte man in Ruhe betrachten. Im Inneren wartet ein unvergleichliches Meisterwerk: das eigentlich für den Sieneser Dom geschaffene Chorgestühl mit hervorragenden Einlegearbeiten (um 1500). Nach der Besichtigung der Kirche spaziert man durch den mittelalterlichen Ortskern und zum Abschluß durch die Gartenanlagen *Orti Leonini.*

Weiter geht es über die SS. 146 nach Pienza. Im Frühjahr leuchtet das Grün der Wiesen hier besonders zart – auch den riesigen Schafherden scheint es hervorragend zu schmecken, und so ensteht der berühmteste toskanische Schafskäse („pecorino") in

***Pienza** (491 m; 2300 Einw.), wo er an allen Ecken feilgeboten wird. Die Stadt liegt malerisch oben am Hügel, und die Aussicht auf die Umgebung ist – wie immer – traumhaft. Eine Idealstadt verwirklichte der hier 1405 geborene Piccolomini-Papst Pius II. mit seinem Architekten *Bernardo Rossellino:* Aus dem kleinen Kastell Corsignano wurde die Renaissance-Stadt Pienza (Pius II. gab ihr persönlich den neuen Namen). Die **Piazza Pio II.* dokumentiert die Großartigkeit des Projekts, das durch den Tod von Papst und Architekt im Jahre 1464 nicht mehr auf die ganze Stadt ausgedehnt werden konnte. Die Fassaden des *Palazzo Piccolomini,* der *Kathedrale,* des *Bischofspalastes* und des *Palazzo Pubblico* bilden eines der einheitlichsten und elegantesten Renaissance-Ensembles Italiens – man muß es auf sich wirken lassen. Außen einem antiken Tempel nachempfunden (oben mit dem Wappen Pius' II.), innen wie eine Hallenkirche – humanistisches Bildungsideal und die Bewunderung der Kirchen nördlich der Alpen, die Pius II. auf seinen Reisen an den Kaiserhof kennengelernt hatte, ver-

6
Seite 85

dichten sich in der *Kathedrale*. Für den *Palazzo Piccolomini* nahm Rossellino hingegen den Palazzo Ruccellai in Florenz von Leon Battista Alberti zum Vorbild.

Die Spezialität der Gegend schlechthin – „pici" – ist ein aus Wasser und Mehl gekneteter Teig, der von Hand in feine Fäden gezogen wird. Dazu schmeckt eine scharfe Tomatensauce oder Wildragout.

Ⓗ **Corsignano,** Via della Madonnina 11, ☎ 74 85 01, FAX 74 81 66. Angenehmes Haus, gutes Restaurant. Ⓢ
Ⓡ **Buca delle Fate,** Corso Rossellino 38 a. Hervorragende, einfache Küche im Palazzo Gonzaga des 16. Jhs. Ⓢ

Reminiszenz an die Hallenkirchen in der Kathedrale von Pienza

Niccolò Machiavelli

Niccolò Machiavelli (1469–1527) ging als Vater der modernen Politikwissenschaften in die Geschichte ein. In seinem Werk „Der Fürst" verfaßte er 1513 Handlungsanweisungen zur Erlangung von Macht, die nicht auf moralischen oder religiösen Prinzipien basierten, sondern sogar die Ermordung des politischen Widersachers propagierten.

Unter „Machiavellismus" verstand man fortan rücksichtslose Machtpolitik. Natürlich setzte die katholische Kirche dieses Werk auf den Index, konnte seine Verbreitung aber nicht verhindern.

Das Werk des Florentiners ist eng mit seinem persönlichen Schicksal verbunden. Machiavelli studierte zunächst die Klassik und arbeitete ab 1498 für die nach der Vertreibung der Medici wieder eingesetzte Florentiner Republik. Als Sekretär der Kanzlei führten ihn diplomatische Missionen nach Frankreich, in die Schweiz, an den deutschen Kaiserhof und zum Papst. Seine engen Verbindungen zur Republik und ihren führenden Familien ließ ihn jedoch nach der Rückkehr der Medici 1512 in Ungnade fallen; er verschwand ein Jahr im Gefängnis.

Mit seinem Werk „Der Fürst" versuchte Machiavelli, die Gunst der Machthaber wiederzuerlangen, was aber zunächst mißlang. Machiavelli zog sich deshalb auf sein Landgut in Sant'Andrea bei Florenz zurück und widmete sich historisch-politischen Betrachtungen.

Hier entstanden seine stilistisch glanzvollen „Diskurse über die Dekade von Titus Livius", die „Kriegskunst" und auch einige literarische Werke wie „Mandragola". Ab 1520 verfaßte er – nunmehr im Auftrag der Medici – die „Florentiner Geschichten". Als Florenz 1526 wieder Republik wurde, bekam Machiavelli kurz vor seinem Tod allerdings erneut Schwierigkeiten.

6

Seite 85

Veranstaltungen: Am ersten Septembersonntag: „Fiera del Cacio", ein Schafskäsemarkt.

Majestätisch und einsam grüßt die formvollendete wunderschöne Renaissancekirche *San Biagio* von Antonio da Sangallo d. Ä. am Ende einer Zypressenallee die Reisenden auf der Anfahrt nach

Montepulciano (605 m; 14 100 Einw.), einer der Touristenhochburgen der Toskana. In der „Perle des 16. Jahrhunderts" warten herrliche Renaissance-Paläste und ein großartiger Wein auf den Besucher. „Degustazione libera" (freies Kosten) lautet die Zauberformel des Ortes. An jeder Ecke trifft man auf Weinprobierstuben und unterirdische Weinkeller! Der berühmte Vino Nobile di Montepulciano aus der Sangiovese-Traube muß mindestens zwei Jahre in den Fässern lagern, bevor er das Qualitätszeichen DOCG erhält. Der trockene Nobile mit dem herbfeinen Geschmack gilt vielen als König der italienischen Rotweine. Der schönste Weinkeller ist wohl die „Cantina del Redi". Es macht richtig Spaß, durch die unterirdischen Gemäuer zu wandern, die Antonio da Sangallo d. Ä. im 15. Jh. errichtete. Und der Wein erst, das Olivenöl und der Grappa – ein Toskana-Erlebnis der besonderen Art.

6

Seite 85

Man spaziert weiter durch das langgestreckte, größtenteils mittelalterliche Städtchen, läßt die herrlichen Paläste auf sich wirken und erreicht die *Piazza Grande,* das Stadtzentrum. Der *Palazzo Comunale* erinnert nicht zu Unrecht an den Palazzo Vecchio in Florenz. Die Arno-Stadt beherrschte seit Ende des 14. Jhs. Montepulciano. Im *Dom* bewundert man das überreich geschmückte gotische Triptychon von Taddeo di Bartolo. Und im dreigeschoßigen Renaissance-Palast *Contucci* findet man wieder den herrlichen Nobile im Keller ...

Ufficio Turistico Comunale, Via Ricci 9 (an der Piazza Grande), 53045 Montepulciano, ☎ (05 78) 75 74 42.

Granducato, Via delle Lettere 62, ☎ FAX 75 86 10. Neues, modernes Hotel. $

Il Borghetto, Borgo Buio 7, ☎ FAX 75 75 35. Auf den alten Burgmauern in stilvollen Räumen des 17. Jhs. $

Il Cantuccio, Via delle Cantine 2. Pici und Fleisch vom Grill. $

Diva, Via Gracciano 92. Einfache Küche, Pici und Lamm. $

Veranstaltungen: Juli bis erste Augustwoche: „Cantiere internazionale d'Arte": Die Moderne hält jedes Jahr mit der Kunstbaustelle des Komponisten Hans Werner Henze Einzug. Letzter Augustsonntag: „Bravio" – 80 kg schwere Fässer werden in einem Wettrennen den Berg hinauf gerollt.

Durch das Hügelland fährt man mit wunderschönen Ausblicken zum mittelalterlich geprägten *Chianciano* und seinem neuen Teil

Chianciano Terme (455 m; 7200 Einw.). Das Thermalbad zählt mit über 2 Mio. Übernachtungen in seinen knapp 250 Hotels zu den bekanntesten Italiens. Der nette Werbespruch der Kuranlagen lautet: „Chiancìano – fegato sàno" (gesunde Leber).

APT, Via Sabatini 7, 53042 Chianciano Terme, ☎ (05 78) 6 35 38.

Chiusi–Chianciano Terme.

Die Etrusker wählten die strategisch günstige Position auf dem Hügel zwischen den Tälern des Tiber und des Arno für die mächtigste ihrer Städte,

***Chiusi** (398 m; 8900 Einw.). Malerisch zwischen Oliven und Weingütern liegt das Tuffplateau, von dem die Etrusker weite Teile der Region Latium unter ihrem legendären König Porsenna beherrschten. Doch Anfang des 3. Jhs. v. Chr. geriet auch Chiusi in römische Abhängigkeit. Im Mittelalter verlor der Ort mehr und mehr an Bedeutung. Die zunehmende Versumpfung der Gegend war der Malaria förderlich. Erst die Anlage des *Canale Maestro* im 18. Jh., der das Sumpfgebiet der Chiana mit dem Arno verband, ermöglichte das Abfließen des Wassers. Die beiden romantischen, fischreichen Seen, der *Lago di Montepulciano* und der *Lago di Chiusi*, sind heute die letzten Überreste dieses einst weiten Sumpfgebietes.

Eine der bedeutendsten Abteien des 13. Jhs. – Sant'Antimo

Bevor man sich den Etruskern widmet, besichtigt man noch den *Dom*, der bereits im 6. Jh. errichtet wurde. Die schönen Säulen des dreischiffigen Inneren stammen aus römischen Gebäuden, die seltsame, Mosaike vortäuschende Bemalung aus den Jahren 1887 bis 1894! Vom sehenswerten *Museum der Kathedrale* aus spaziert man durch den Untergrund von Chiusi: ein Erlebnis! Unzählige Kanäle aus etruskischer Zeit durchziehen noch heute den Tuff (🕓 Winter 9.30–12.45, So + Fei auch nachm. 15 bis 18 Uhr; Juni–Mitte Okt. tägl. 9.30 bis 12.45, 16.30–19.30 Uhr).

Chiusi: Die Säulen des Doms stammen aus römischen Häusern

6

Seite 85

Die einmalige Urnensammlung machte das ***Museo Nazionale Etrusco* berühmt (🕓 werktags 9–14, So 9–13 Uhr) – aber es gibt noch viel, viel mehr zu sehen! Ab dem 7. Jh. wurden die Urnen auf eine Art reich verzierten „Thron" gesetzt und ihre Deckel als Portraits ausgestaltet. So bekommt man eine Vorstellung, wie die Menschen vor über 2500 Jahren ausgesehen haben! Außerdem findet man noch schwarze Tongefäße mit aufgestempelten Verzierungen – das „Silber der Armen": Auch bei den Etruskern konnte sich nicht jeder Metallvasen leisten.

Einmaliges bietet die riesige **Nekropole* von Chiusi. Im Gegensatz zu anderen toskanischen Gräbern blieben hier Reste der etruskischen Malereien und der Ausstattung erhalten.

🚆 nach Siena, Florenz, Rom.
🏨 **La Fattoria,** Lago di Chiusi, ☎ (05 78) 2 14 07, 📠 2 06 44.
In der Nähe der Gräber gelegen, Seepanorama, gute Küche (Seefisch). $

Crete

Crete, so werden die durch Erosion entstandenen Lehmschluchten bezeichnet, die das Landschaftsbild im Süden Sienas bestimmen. Nach einem trockenen Sommer wirken sie fast wüstenhaft. Den Besucher aus dem Norden mögen sie durch ihre Fremdheit bezaubern, die Einheimischen denken jedoch eher an die Probleme, die die Erosion der Landwirtschaft bereitet. In großen Ringen legen sich die Furchen der umgepflügten Felder im Herbst um die Hügel – horizontales Pflügen schützt den Boden besser vor Abtragung.

⚠ dem obigen Hotel angeschlossen.
Ⓡ **La Solita Zuppa,** Via Porsenna 21. Ein Muß für jeden Suppenfreund. ($)

Um den *Monte Cetona* (1148 m) herum fährt man über das mittelalterliche Burgstädtchen *Sarteano* nach Radicofani. Die kurvenreiche Strecke erfreut mit wundervollen Ausblicken; Olivenhaine begleiten den Reisenden, auch waldreiche Abschnitte durchquert man bis zum höchsten Punkt von 650 m.

***Radicofani** (783 m; 1300 Einw.) war, wie man sich aufgrund der einzigartigen, die ganze Gegend beherrschenden Lage in 896 m Höhe unschwer denken kann, eine hart umkämpfte Festung. Die Sienesen behielten im 15. Jh. die Oberhand, und als letzte sienesische Burg gab Radicofani 1559 erst nach dem Fall von Montalcino den Kampf gegen die Florentiner auf.

Man schlendert ein wenig durch die strengen, mittelalterlich geprägten Gäßchen, schaut sich die wirklich schöne romanische Kirche *San Pietro* an, erfreut sich an den wertvollen *Della-Robbia-Terracotten* im Inneren und auch an der Madonna mit Kind in der gegenüberliegenden Kirche *Sant'Agata*.

6

Der **Monte Amiata** (1738 m), ein riesiger ehemaliger Vulkan, erhebt sich unvermittelt inmitten des weiten Hügellandes. Die verschiedenen Vegetationszonen reichen von Getreidefeldern, Weinreben und Olivenhainen, über dichte Kastanienwälder bis hinauf zu Buchenhainen. Eine gut ausgebaute Straße führt zum Gipfel, der im Winter zu den beliebtesten Skigebieten der Toskana zählt. Von seiner schönsten Seite zeigt sich der Amiata aber im Herbst, wenn der ganze Berg eine einzige Farbenpracht ist! Die gekennzeichneten Wege des „Amiata Trekking" erschließen die einzelnen Zonen im übrigen sehr gut; auf insgesamt 28 km wandert man zwischen 1050 und 1250 m. Auch eine Rundfahrt um den Berg mit dem Auto durch die einzelnen mittelalterlich geprägten Städtchen belohnt mit wundervollen Ausblicken weit in die toskanische Hügellandschaft hinein.

Drei dieser Orte sollte man sich unbedingt näher ansehen.

Abbadia San Salvatore (812 m; 7200 Einw.) erhielt seinen Namen von der **Abtei San Salvatore*. 743 gründete sie der Langobardenkönig Ratchis, als er beim Jagen an dieser Stelle eine Vision hatte. Die barocken Fresken in der Kapelle rechts des Presbyteriums erzählen diese Geschichte. Die heutige Kirche begann man 1036 in romanischen Formen, die noch gut in der engen Fassade zu erkennen sind. Am faszinierendsten ist jedoch die **Krypta*, die noch vom Vorgängerbau aus dem 8. Jh. stammt. Die 36 Säulen mit ihrer reichen Dekoration und den wunderschönen Kapitellen sollte man sich in aller Ruhe betrachten – in der Toskana gibt es keinen zweiten so gut erhaltenen langobardischen Bau! Anschließend unternimmt man noch einen Spaziergang durch den mittelalterlichen Ortsteil, den **Borgo*. Sein strenger, fast düsterer Charakter wirkt bei Nebel – am Amiata hängen die Wolken häufig tief – richtig geheimnisvoll.

ℹ APT, Via Mentana 97, 53021 Abbadia San Salvatore, ☎ (05 77) 77 86 08.
Ⓗ **Albergo Rifugio Cantore,**
☎ 78 97 04. Am Berg gelegen, mit Spezialitäten wie Wildschwein, Trüffel und Pilze. ($)
Albergo Ristorante Olimpia, Via Trieste 30, Abbadia San Salvatore, ☎ 77 82 50. Man ißt gut und wohnt gut. ($)

Santa Fiora (687 m; 3000 Einw.) ist der lieblichste Ort am Amiata. Die romanische *Pieve SS. Fiora e Lucilla* besitzt eine einmalige Sammlung wunderschöner *Della-Robbia-Werke*. Die Feinheit der Darstellung, etwa bei den schlafenden Soldaten in der Auferstehungsszene, bezaubern den Betrachter.

ℹ Piazza Garibaldi, 58037 Santa Fiora, ☎ (05 64) 97 71 24.

Peschiera, im unteren Ortsteil. Hier ißt man hervorragend. $$

Arcidosso (679 m; 4150 Einw.) wird von einem mächtigen Kastell der Aldobrandeschi überragt. Die Familie beherrschte im Mittelalter den größten Teil des Gebietes vom Amiata bis zum Meer. Aber nicht so sehr die mittelalterliche Stadt zieht die Besucher an, als vielmehr der Naturpark Monte Amiata *(Parco Faunistico dell'Amiata)*. Die Mufflons, Hirsche, Gemsen und Rehe in den ersten drei Gehegen sind vielleicht noch keine solche Besonderheit, die Wölfe im vierten allerdings schon. Ausgedehnte, gut gekennzeichnete Wanderwege führen durch den Park.

Informationsbüro, Via Ricasoli 1, 58031 Arcidosso, ☎ (05 64) 96 60 83.
Park Hotel Capenti, ☎ Fax 96 73 55. Familiäres Haus, ruhig im Grünen gelegen (3 km). $
Zio Emilio, Via Roma 23. Typische Küche mit Spinat und Ricotta. $

Die nächsten Orte – Sorano, Sovana und Pitigliano – sind drei richtige Kleinode im Süden der Toskana, die man sich nicht entgehen lassen sollte! Schon die Straßen, die von den Etruskern direkt in das Tuffgestein gehauen wurden, sind imposant (z. B. zwischen Sovana und Pitigliano). Hinzu kommt die dichte, immergrüne Vegetation, die, reich an Farnen und wildrankendem Efeu, fast eine Art Dschungel entstehen läßt – der Tuff hält das Wasser, und so formt sich ein spezielles, sehr feuchtes Mikroklima.

Sorano (374 m; 4200 Einw.), die erste der drei Etruskerstädte, wartet mit einer sehenswerten **Orsini-Burg* und engen, kleinen Gäßchen in der Altstadt auf. Die seltsamen Taubennester, unzählige kleine Löcher neben den Grabkammern am Fluß, geben der Forschung noch Rätsel auf – eine eher fragwürdige Theorie meint, daß hier tatsächlich Tauben gezüchtet wurden, da ihr Flügelschlag die Malaria vertreiben sollte ...

Sovana (219 m) liegt geschützt durch breite Gräben auf der Tuffebene. Eine einzige Straße, die sich im Zentrum zur Piazza erweitert – das ist eigentlich schon der ganze hübsche kleine Ort. Der herrliche romanische **Dom* steht schon außerhalb, das *Haus Hildebrands von Sovana* (der spätere Papst Gregor VII., zu dem Kaiser Heinrich IV. nach Canossa ging) gerade noch so am Rande. In der etruskischen Totenstadt herrscht durch die üppige Vegetation ein ganz eigenes Flair. So stellt man sich eigentlich südamerikanische Tempelanlagen im Dschungel vor! Nach Hildebrand – nach wem auch sonst – wurde die mächtigste Grabanlage, die *tomba di Ildebrando,* benannt. Das Fürstengrab schmücken Treppen, Säulen und Kapitelle – Wanderwege erschließen die etruskischen Anlagen.

Taverna Etrusca, Piazza Pretorio 16, ☎ (05 64) 61 61 83, Fax 61 41 93. Gutes Hotel, hervorragende Küche. $$
Scilla, Piazza Duomo, ☎ 61 65 31, Fax 61 43 29. Einfaches Haus mit guter Küche. $

***Pitigliano** (313 m; 4300 Einw.) muß man unbedingt einmal von der Stelle aus, wo die Kirche *Madonna delle Grazie* liegt, gesehen haben. Von hier hat man den besten Blick auf die einmalige Silhouette. Die Großartigkeit des *Orsini-Palastes* und die engen mittelalterlichen Gassen in der Altstadt, die auf den etruskischen Höhlen, Kellern und Gräbern entstand, verleihen dem Ort den ganz besonderen Charakter. Und auch der Wein, der Bianco di Pitigliano, ist nicht zu verachten!

Guastini, Piazza Petruccioli 4, ☎ (05 64) 61 60 65, Fax 61 66 52. In der Altstadt mit Restaurant. $
Trattoria del Corso, Via Roma 53. Typische Küche der Maremma. $

Von Pitigliano aus kann man auf der landschaftlich schönen Straße Nr. 74 über Manciano (Abzweigung zu den frei zugänglichen Thermen von Saturnia) in Albinia das Meer erreichen und Anschluß an die Route 4 finden.

Praktische Hinweise von A–Z

Autofahrer

Der nationale Führerschein genügt; Nationalitätskennzeichen (D, A, CH) müssen angebracht sein. Die grüne Versicherungskarte wird empfohlen. Pannenhilfe ist für Mitglieder von Automobilklubs kostenlos. Informationen (auch auf deutsch) ☏ 1 16.

Busse

Gut funktionierende innerstädtische Buslinien gibt es in allen größeren Städten. Von dort gelangt man mit Überlandbussen auch in alle kleineren Orte. Die wichtigsten Linien:
LAZZI, SITA (Florenz, beim Bahnhof), TRA-IN (Siena, Piazza S. Domenico), CO.PI.T. (Pistoia, bei der Kirche San Francesco), A.T.A.M. (Arezzo, Bahnhofsplatz), C.L.A.P. (Lucca, Piazza Verdi, beim ❶)

Camping

Die Toskana verfügt über viele, gut ausgestattete Campingplätze, besonders am Tyrrhenischen Meer; in der Sommersaison (Juli/August) empfiehlt sich jedoch eine Reservierung. Verzeichnisse sind erhältlich bei den ENIT-Büros oder bei der Federazione Italiana del Campeggio, Via Vittorio Emanuele 11, 50041 Calenzano. ☏ (0 55) 88 23 91, FAX 8 82 59 18.

Devisenvorschriften

Ausländische Währung und italienische Lire dürfen unbeschränkt ein- und ausgeführt werden, müssen aber bei Ein- und Ausreise deklariert werden, wenn die Summe 20 Millionen Lire überschreitet.

Einkaufen

Boutiquen weltbekannter Designer in Florenz, elegante Kleidung und Schuhe in Lucca, Kunstgewerbe in den kleineren Städten. Berühmt ist die Toskana für ihre Lederwaren, Keramik-, Marmor- und Alabasterarbeiten. Auch auf den Wochenmärkten findet man Modisches mit Qualität.

Feiertage

1. und 6. Januar, 25. April, 1. Mai, 15. August, 1. November, 8. Dezember, 25. und 26. Dezember, Ostermontag.

Geld

Die italienische Währungseinheit ist die Lira (Mehrzahl Lire, Abk. L., Lit). Für 1000 L. erhält man ca. 1,10 DM; 1 DM = 950 L. (aktuelle Tageskurse bei den Banken). Eurocheques werden pro Scheck bis zu 300 000 Lire eingelöst.

Informationen

erhält man bei den staatlichen italienischen Fremdenverkehrsämtern (ENIT) in
40212 Düsseldorf, Berliner Allee 26,
☏ (02 11) 13 22 32, FAX 13 40 94;
60329 Frankfurt/M., Kaiserstr. 65,
☏ (0 69) 23 74 10, FAX 23 28 94;
80336 München, Goethestr. 20,
☏ (0 89) 53 03 60, FAX 53 45 27;
A-1010 Wien, Kärntner Ring 4,
☏ (02 22) 5 05 16 39, FAX 5 05 02 48;
CH-8001 Zürich, Uraniastr. 32,
☏ (01) 2 11 36 33, FAX 2 11 38 85.

In Italien bei den APT (Azienda di Promozione Turistica, Fremdenverkehrsamt). Sie helfen bei Hotelbeschaffung, Ferien in Landhäusern, Fahrradverleih, geben Stadtpläne aus, wissen die Öffnungszeiten von Museen usw.

Jugendherbergen

❶ Associazione Italiana Alberghi per la Gioventù (Italienischer Jugendherbergsverband), Via Cavour 44, 00184 Rom, ☏ (06) 4 87 11 52,
FAX 4 88 04 92.

Konsulate

Deutsche Konsulate: Florenz, Lungarno Vespucci 30, ☏ (0 55) 29 47 22; Livorno wird im Herbst 1997 einen neuen Konsul erhalten.
Schweizer Konsulat: Rom, Largo Elvezia 15, ☏ (06) 8 08 83 98.
Österreichisches Konsulat: Rom, Viale Liegi 32, ☏ (06) 8 55 28 80.

Medizinische Versorgung

Zwischen Deutschland und Italien besteht ein Abkommen über soziale Sicherheit, das Mitgliedern einer gesetzlichen Krankenkasse in Krankheitsfällen kostenlose medizinische Behandlung zusichert.

Anspruchsausweis E 111 sowie nähere Auskünfte bei den Krankenkassen.

Notruf

☏ 1 18; 1 12 und 1 13; Feuer ☏ 1 15.

Öffnungszeiten

Läden haben im allg. von 9–13 und 15.30–19.30 Uhr geöffnet, viele Geschäfte auch am Samstagnachmittag, manche haben dafür am Montag vormittag zu.
Banken sind Mo–Fr von 8.30 bis 13.30 Uhr geöffnet (einige auch eine Stunde am Nachmittag). Am Wochenende kann man in größeren Städten an Bahnhöfen und Flugplätzen Geld wechseln sowie an Wechselautomaten.
Museen usw. wechseln häufig ihre Öffnungszeiten. Die staatlichen Museen sind meist von 9–14 Uhr offen, So/Fei 9–13 Uhr und Mo geschlossen.
Kirchen sind oft mittags von 12/13 bis 15/16 Uhr geschlossen.
Tankstellen sind – außer an Autobahnen – über Mittag sowie an So/Fei geschlossen. Manche haben Tankautomaten (Bargeld).

Parken

Praktisch alle historischen Innenstädte sind für Privatfahrzeuge gesperrt. Alle größeren Städte besichtigt man bequem mit der günstigen Bahn. Das Auto braucht man nur für Touren durch die toskanische Landschaft.

Postgebühren

Das Auslandsporto von Italien in europäische Staaten beträgt für eine Postkarte oder einen Brief (bis 20 g) in EU-Länder 800 Lire, sonst 900 Lire.

Postsparer

aus Deutschland können bei ca. 700 italienischen Postämtern (Liste in Deutschland bei der Post) kostenlos bis zu 2000 DM pro Monat abheben (Ausweis und Ausweiskarte mitnehmen!).

Rechnungen und Belege

Auch ausländische Touristen sind verpflichtet, sich über erhaltene Dienstleistungen (in Restaurants, Autowerkstätten u. a.) eine ordnungsgemäße Quittung („ricevuta fiscale“) inkl. Mehrwertsteuer (IVA) ausstellen zu lassen und diese aufzubewahren. Bei Kontrollen durch die italienische Steuerpolizei fällt sonst eine hohe Geldstrafe an.

Telefonieren

kann man in öffentlichen Fernsprechämtern der Telefongesellschaft Telecom (nicht in Postämtern). Münzfernsprecher nehmen 100-, 200- und 500-Lire-Münzen. Telefonkarten („scheda telefonica“) gibt es zu 5000, 10 000 oder 15 000 Lire bei „Tabacchi“, Zeitungskiosken und den Telecom-Ämtern.

Die Vorwahlen von Italien aus sind: Deutschland 00 49, Österreich 00 43, Schweiz 00 41.

Zoll

Seit 1993 gibt es für Touristen aus EU-Staaten praktisch keine Zollkontrollen mehr. Folgende Höchstmengen gelten als Anhaltspunkt, nicht als Vorschrift: 800 Zigaretten, 200 Zigarren, 1 kg Tabak, 90 Liter Wein.

Register

Orts- und Sachregister

Personenregister

Bildnachweis

Alle Fotos APA Publications/G. Galvin & G. Taylor außer Archiv für Kunst und Geschichte: 15/2–3, 17/1–2; A. M. Begsteiger: 29/1, 37/3; H. Hardt: 19/1, 25, 27/3, 33, 35/2–3, 37/1–2, 57; G. Jung: 7/1, 13/1–2, 29/2, 39/1, 41/1, 63/3, 69/2, 81/1–3, 83/1; K. Thiele: 19/2, 47/1; Umschlag: Bildagentur Schuster/Meier (Bild), Bernd Ducke/Superbild (Flagge).